Les débuts

À 15 h 30, une quinzaine d'élèves avaient pris place dans le local 712. Il n'avait qu'un petit tableau noir et pas de fenêtre; de plus, le local était encombré de matériel informatique. Barbie, Chelsie, Lara et Nichelle s'assirent à même le sol.

Monsieur Toussaint, le responsable du journal, entra et retroussa les manches de sa chemise. Puis il passa quelques minutes à expliquer en gros les objectifs du journal et du site Internet. Ensuite, il fit passer une feuille de papier qui reprenait les différentes tâches que les élèves devaient se répartir. Il demanda à chacun d'indiquer lesquelles il préférait.

Puis il proposa aussi que le groupe cherche un nom pour le journal et pour le site Internet. *Generation Beat* et *Generation Beat Web* étaient les meilleures suggestions.

La réunion touchait à sa fin. Tout à coup, la porte s'ouvrit violemment : dans l'embrasure se tenait Tori sur ses patins à roues alignées.

— Désolée d'être en retard...

Tori n'eut pas l'occasion de finir sa phrase car Lara se dressa sur ses pieds et pointa un doigt accusateur vers elle.

— C'est cette fille ! C'est elle qui a volé ma boîte de peinture !

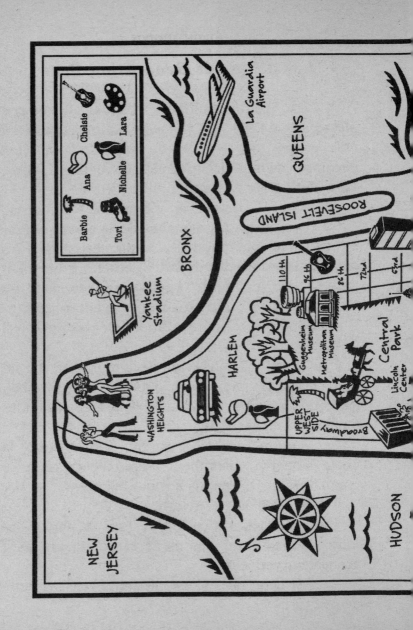

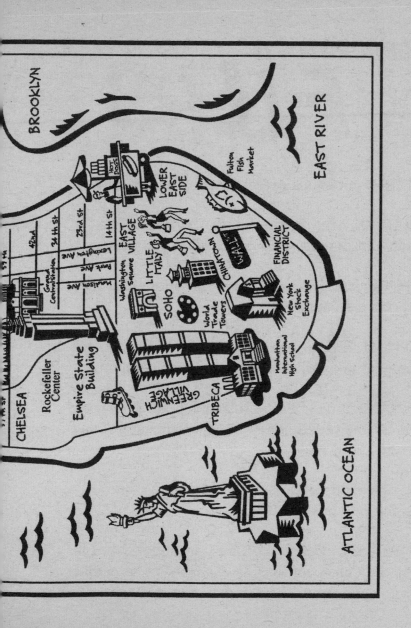

GÉNÉRATI*n FiLLeS ™

Laissez-moi vous présenter des filles branchées...

BARBIE vient de Malibu, en Californie. Elle aimerait devenir actrice et réaliser des films.

TORI vient de l'Australie et elle adore tous les sports extrêmes.

NICHELLE est une adolescente de Harlem qui connaît une brillante carrière de mannequin.

ANA vient de la partie hispanophone de Harlem et est une vedette de la natation, de l'athlétisme et du soccer.

LARA vient de Paris, en France, et est une peintre de talent.

CHELSIE vient de Londres, en Angleterre. Elle excelle dans l'écriture de chansons et de poèmes.

GénéRATI✳n FILLeS™

NEW YORK, NOUS VOICI !

par Melanie Stewart

Adaptation de Laurent Divers
et Laurence Bate

Les presses d'or

GOLDEN BOOK®

Golden Books Publishing Company, Inc.
New York, NY 10106

GÉNÉRATION FILLES ™ et BARBIE ® et Associés sont des marques de commerce de Mattel, Inc. copyright © 1999 Mattel, Inc.

Les photos ont été utilisées avec l'autorisation de Polaroid Corporation.

Titre original : New York, Here We Come

Édition française publiée par LES PRESSES D'OR®
7875, Louis-H.-Lafontaine, Bureau 105, Anjou (Québec) Canada H1K 4E4

Imprimé au Canada. Isbn : 1-552253-44-9

Clique-nous @ www.lespressesdor.com

Chapitre 1

Bienvenue à New York, Barbie!

— Et voici ta chambre! dit madame Jenner en prenant un petit air mystérieux. Si tu veux te donner la peine...

Barbie précéda son hôtesse dans la pièce et jeta un regard circulaire sur son nouveau logement.

Madame Jenner la suivit à l'intérieur, les bras chargés de linge à ranger dans les armoires.

— Comme tu peux le voir, je l'ai un peu féminisée... Les trophées sportifs ou les affiches de groupes rock ne doivent pas trop intéresser une jeune fille de ton âge, je pense. Les vieux souvenirs de Scott ont donc fini au grenier!

Elle se tut quelques instants, observant Barbie absorbée par la découverte de son nouvel intérieur. Bois clair et coloris pastel s'harmonisaient parfaitement dans ce mignon décor. Les grands yeux bleus de la jeune fille allaient du lit au bureau, des étagères à la chaise berçante, des placards au système de son et du plafond à la moquette...

— Alors? interrogea madame Jenner. Elle te plaît?

— Bien sûr! s'écria Barbie, en lui sautant au cou. Dans une chambre comme celle-ci, on se sent tout de suite comme chez soi!

Tandis que madame Jenner rangeait son linge, elle fit encore une fois le tour de la pièce, avec le même émerveillement sur le visage.

— Elle est si grande, si claire et... la vue est réellement superbe!

L'adolescente colla son nez à la vitre.

— Je n'ai jamais vu autant d'immeubles... s'exclama-t-elle. En Californie, on n'en trouve presque pas, les maisons sont éloignées les unes des autres.

— Vois-tu, expliqua madame Jenner, il y a tellement de gens dans cette petite île qu'on est obligé de les entasser!

Barbie suivait des yeux un petit groupe d'adolescents qui faisaient du patin dans les allées du parc en contrebas.

— Ils ont l'air tellement petits! Pas plus hauts que des figurines! s'exclama-t-elle.

— On est tout de même au quinzième, répondit madame Jenner qui souriait un peu de son étonnement. Il est vrai que New York est très différent de la Californie… mais ne t'en fais pas, tu t'habitueras vite à ce nouveau paysage.

— Comme c'est beau, murmura soudain Barbie.

Dans la lumière douce du soleil couchant, la rivière semblait pailletée d'or.

— C'est l'Hudson, dit madame Jenner en s'asseyant près de la fenêtre aux côtés de son invitée. C'est une vue dont je ne me lasse jamais. Tu sais, une rivière, ça change tout le temps, un peu comme si elle avait sa vie, sa personnalité…

— Madame Jenner… est-ce que je peux vous confier quelque chose ?

— À une seule condition, répondit celle-ci. Appelle-moi Terri ! Je ne suis pas si vieille que ça quand même !

Elle sourit, puis ajouta :

— On va passer beaucoup de temps ensemble, toi et moi, toute la durée de tes études à la Manhattan International High School… alors ce serait quand même plus pratique, non ?

Barbie hocha la tête et adressa un sourire à sa nouvelle amie. D'emblée, elle avait apprécié cette femme, qu'elle connaissait si peu, pour sa chaleur et ses façons amicales. Cette affection était réciproque car Barbie plaisait beaucoup à son hôtesse pour sa douceur et sa gentillesse.

— Je t'écoute, Barbie. Que voulais-tu me dire ?

— Eh bien… (Dans un mouvement de tête et

9

d'épaules, la jeune fille rejeta en arrière sa longue chevelure blonde.) Je suis vraiment très heureuse de vivre ici avec vous et Sam, et j'ai vraiment hâte de commencer l'école demain, mais...

— Mais tu as peur, n'est-ce pas ? dit doucement Terri en lui prenant la main.

Barbie baissa la tête, un peu gênée tout à coup qu'on puisse ainsi lire dans ses pensées comme dans un livre ouvert. Elle prit une profonde inspiration et continua :

— Je sais que ça peut paraître idiot. J'ai l'habitude d'être indépendante. J'ai quinze ans. Mais...

— Ma puce, la rassura Terri, tout ce que tu ressens est parfaitement normal ! Tu viens d'arriver dans une ville immense, si différente de l'endroit où tu es née, tu débarques chez des amis de tes parents que tu connais à peine, tu commences demain dans une nouvelle école, pleine de visages inconnus qu'il te faudra apprivoiser... Tu as beaucoup de courage d'avoir osé partir. Je t'admire sincèrement.

— Merci Terri, répondit Barbie, émue.

Et elle serra fort la main de sa nouvelle amie entre les siennes.

— Mais je le pense, tu sais ! À ton âge, je ne sais pas si je l'aurais fait, moi... Et puis, ne crois surtout pas être la seule à avoir peur. Toutes les filles que tu verras demain s'inquiètent probablement pour leur premier jour... Tu ne dois pas avoir honte.

Barbie, penaude, se mit à sourire.

— Vous croyez que je me ferai des amis ? J'ai si peur de rester toute seule dans mon coin !

— Mais bien sûr ! Tu es tellement gentille. Tu verras, tout se passera bien...

Le visage de Barbie s'éclaira et elle poussa un profond soupir de soulagement.

— Merci d'avoir été là ! Merci de m'avoir écoutée !

L'adolescente serra Terri dans ses bras tandis que celle-ci lui caressait les cheveux, aussi tendrement qu'une maman l'aurait fait pour calmer les angoisses de sa petite fille.

Elles restèrent assises là bien après que les lumières de la ville se furent allumées, à parler de choses et d'autres comme l'auraient fait deux camarades d'école.

À 20 h, elles se rendirent bras dessus, bras dessous, au restaurant que tenait Sam Jenner, à quelques rues de là, sur Broadway[1]. Barbie était impatiente de rencontrer Sam, bien sûr, mais surtout de voir le restaurant tant ses parents lui en avaient parlé avant son départ. Ils lui avaient raconté que la cuisine était si raffinée et le décor si agréable, qu'il n'était pas rare d'y croiser des personnalités, écrivains et artistes célèbres, venus dîner là incognito.

Le *Sam's*, malgré son nom tout simple, était

---

1. Broadway est une célèbre avenue, sur laquelle se trouvent les grandes salles de spectacle.

vraiment impressionnant. Les couleurs très vives du décor contrastaient avec la blancheur immaculée des nappes. Sur chaque table, il y avait des chandelles. Les portes d'entrée du restaurant étaient d'une magnifique nuance de bleu. Un ami de Sam avait peint une fresque sur un des murs. Sur un autre, on pouvait admirer des photographies primées prises par Terri elle-même au temps où elle travaillait comme photographe aux magazines *Time* et *Life*.

Même s'il n'y avait pas de «vraies» stars présentes ce soir-là, Barbie ne fut pas déçue car l'endroit fourmillait de gens intéressants.

Bien qu'il eût beaucoup de travail ce soir-là car il y avait une foule de clients à servir, Sam se libéra pour dîner avec sa femme et sa nouvelle amie. C'était un homme grand et beau, à l'allure sportive et hormis sa calvitie naissante, rien n'indiquait qu'il approchait de la quarantaine. Il était évident que ses clients habituels fréquentaient son restaurant à cause de sa personnalité, de son charme et de son accueil.

Monsieur Jenner avait concocté un menu spécial pour sa jeune invitée, et Barbie ne se souvenait pas d'avoir jamais goûté de plats aussi délicieux. De plus, ce dîner exceptionnel se déroulait dans un cadre superbe avec non seulement le *propriétaire des lieux,* mais surtout deux êtres que Barbie aimait déjà de tout son cœur.

Après cette merveilleuse soirée, Terri et Barbie regagnèrent toutes les deux l'appartement du quinzième étage, Sam attendant la fermeture du restaurant pour rentrer chez lui.

Barbie s'installa dans sa chambre et commença à défaire ses bagages. Après avoir fait sa toilette et s'être mise en pyjama, la jeune fille alluma son ordinateur portable afin d'envoyer un *courriel* à sa sœur.

Mardi, minuit !

Ma chère Skipper,

Stacie, Shelly et toi, vous me manquez déjà énormément. Je sais que cela ne fait qu'un jour que je suis partie, mais maintenant que je suis à l'autre bout du pays, je me rends compte que nous serons séparées encore longtemps. J'ai accroché plusieurs photos de vous au-dessus de mon lit. Comme cela, je peux vous regarder chaque fois que j'en ai envie et c'est comme si vous étiez encore un peu là...

Sam et Terri sont vraiment adorables avec moi. Ils m'ont tout de suite très bien accueillie et je me sens déjà ici comme chez moi. Je ne pensais pas que tout se passerait aussi bien... aussi vite !

Le restaurant est superbe, papa et maman

n'avaient pas menti… À ce propos, il m'est arrivé quelque chose de surprenant pendant le dîner. J'ai dit à Sam que j'étais intéressée par le métier d'actrice. Il m'a dit qu'il avait une amie qui était agente et qu'elle pourrait m'aider à trouver des « petits boulots » dans le monde du spectacle. Elle fréquente souvent son restaurant et il m'a promis de me présenter. C'est formidable, non ?

Je commence l'école demain… J'ai un peu le trac, croisez les doigts pour moi. Enfin, ce n'est pas une vraie journée de cours. C'est plutôt une journée qui nous permettra de faire connaissance.

Je suis très excitée, j'ai l'impression que tout ça n'est qu'un rêve et que je vais me réveiller demain… Tant de bonnes choses m'arrivent… aussi vite !

Je vous embrasse toutes très fort ! Je vous aime…

Barbie

Un simple clic et son message s'envola à travers la nuit.

Chapitre 2

Incident secret

Le lendemain matin, Barbie se leva très tôt pour choisir les vêtements qu'elle porterait pour ce premier jour à l'école. Terri était assise sur une chaise à côté du lit et attendait patiemment que Barbie essaye toutes ses tenues...

— Trop strict !

— Quelque chose ne va pas... mais je ne sais pas vraiment quoi...

— Ne trouves-tu pas que cela fait trop classique ?

Elle accompagnait chacune de ses remarques d'une mimique de dégoût ou de désapprobation...

Petit à petit, le lit de Barbie devenait invisible sous le tas de vêtements qu'elle rejetait les uns après les autres.

Terri regardait la pendule toutes les minutes avec un air de plus en plus anxieux chaque fois.

— Ma chérie, ces tenues te vont toutes très

bien… Quoi que tu choisisses, tu seras superbe, alors tu n'as qu'à en revêtir une !

Barbie soupira et prit quelques vêtements sur son lit. Finalement, elle enfila un pantalon kaki, un chemisier blanc et une petite veste en jean.

— Tu es très belle, dit Terri. Maintenant, allons prendre notre petit déjeuner.

Deux œufs brouillés, un verre de jus d'orange et deux toasts grillés plus tard, Barbie mettait son sac en bandoulière et quittait l'appartement. Elle rejoignit la station de métro sur Broadway, trois rues plus loin. C'était l'endroit que lui avait indiqué Terri pour prendre le métro qui l'emmènerait directement à l'école.

Il faisait très doux en ce petit matin de septembre. Sur le chemin du métro, Barbie s'émerveillait de la foule qui s'affairait et se bousculait déjà. Il y avait là des gens si différents : des hommes et des femmes d'affaires se rendant au bureau, des parents qui poussaient des landaus, des livreurs avec leurs camions ou encore des enfants, jouant et criant en attendant leur bus scolaire.

Barbie était conquise par l'incroyable énergie qui se dégageait de l'endroit. Elle adorait le bruit du trafic et de la rue. Elle aimait toutes les odeurs qui flottaient dans l'air, celles des boulangeries, des snacks ou des fleuristes ambulants qui se trouvaient sur son chemin.

Même si elle était nouvelle dans cette ville, elle brûlait d'envie de participer à ce rythme de vie, de le ressentir totalement.

En descendant les marches de la station de métro, elle entendit le grondement sourd et lointain d'une rame qui arrivait. Aussitôt les gens tout autour d'elle pressèrent le pas. Se précipitant, emportée par la foule, Barbie repéra un petit endroit vide sur le quai. Là elle attendit, les yeux rivés sur les voies, que sa rame de métro arrive. Celle-ci s'engouffra bientôt dans la station tel un monstre argenté et flamboyant. Les portes s'ouvrirent et Barbie se précipita à l'intérieur. Elle remarqua à quel point la voiture était bondée. Il ne restait plus qu'une seule place assise. Cette place se trouvait juste en face de Barbie. On pouvait lire ces mots sur le dossier :

SIÈGE RÉSERVÉ EN PRIORITÉ
AUX PERSONNES HANDICAPÉES

« Excellente idée, se dit Barbie. Heureusement que je ne me suis pas assise là avant de lire… »

— Euh… Vous comptiez vous asseoir ici ? s'enquit un vieil homme.

Barbie remarqua qu'il s'aidait d'une canne pour marcher.

— Non, non. Je vous en prie, asseyez-vous, dit Barbie en s'écartant.

Le vieil homme sourit.

— Merci beaucoup, mademoiselle. C'est très gentil à vous.

À ce moment précis, les portes du métro se refermèrent et la rame se mit brusquement en mouvement, déséquilibrant le vieux monsieur.

Barbie le rattrapa juste à temps pour lui éviter une chute. Mais avant qu'il n'ait pu s'asseoir, un homme corpulent vêtu d'un tee-shirt sale l'écarta du coude et occupa le siège.

Barbie était si en colère qu'elle avait du mal à articuler.

— Je suis désolée, monsieur, mais ce siège est déjà occupé.

L'homme dévisagea Barbie, l'air mauvais, en rejetant en arrière ses cheveux longs et gras.

— C'est parfaitement exact, répondit-il, il est occupé par moi.

Barbie ne se laissa pas impressionner et fit une nouvelle tentative.

— Euh... je suis vraiment désolée. Mais ce siège est réservé aux personnes handicapées. C'est écrit juste là.

L'individu assis l'ignora et tourna son visage vers la vitre.

— Salut, copine !

Une voix de fille retentit derrière elle.

— Vous avez entendu ce que ma copine a dit ? Ce siège est occupé !

Barbie se retourna et vit une jeune fille, grande, musclée et athlétique, avec de longues tresses blondes et qui portait des patins sur l'épaule. À son accent, Barbie devina qu'elle était Australienne. Elle avait dit « Salut, copine ! » avec le même accent que dans le film *Crocodile Dundee*.

Le métro avait pris de la vitesse et le bruit devenait de plus en plus assourdissant. Le voleur de siège fixait la vitre sans rien dire, comme si rien ne s'était passé.

— Ne me prenez pas pour une idiote, j'ai tout vu. Pendant que cette jeune fille aidait ce pauvre homme, vous ne vous êtes pas gêné pour prendre sa place ! cria la fille avec culot.

Tout en disant cela, elle s'était rapprochée de Barbie et se tenait à côté d'elle.

— Honnêtement, monsieur, dit Barbie au malotru, cela ne me dérange pas que vous soyez assis là. Mais ce brave homme avec sa canne en a bien plus besoin que vous.

Le gros homme dévisagea Barbie et sa nouvelle alliée.

— Ce siège n'appartient à personne, grommela-t-il entre ses dents. Pas plus à lui qu'à vous...

— Laissez-le prendre le siège, mesdemoiselles,

dit le vieux monsieur. Je peux très bien rester debout, ce n'est pas grave...

— Il n'en est pas question, dit l'Australienne. Vous avez la priorité et il ne faut pas vous laisser faire.

Elle regarda l'homme aux cheveux gras droit dans les yeux.

— Alors, mon gars, tu vas rendre le siège à ce monsieur ?

— Vous vous prenez pour qui ? La police des sièges ? ironisa l'homme. Mêlez-vous de vos affaires, OK ?

Dans un crissement de roues, la rame de métro ralentit pour le prochain arrêt.

La fille à l'accent australien prit une grande inspiration et se mit à crier plus fort que le bruit ambiant :

— Écoutez tous, messieurs dames, la personne en face de moi refuse de laisser ce siège à un homme qui en a besoin.

Aussitôt, les conversations s'arrêtèrent net et tous les regards se concentrèrent sur le gros homme.

— Vous n'avez pas honte ? s'exclama une dame aux cheveux blancs.

— Je crois que vous feriez mieux de laisser cette place, mon vieux, lança un homme très musclé qui se tenait près des portes.

Trois sièges plus loin, une jeune femme se leva.

— Ici, monsieur. Je vous laisse ma place, asseyez-vous.

Avec tous ces regards accusateurs posés sur lui, l'homme commençait à se sentir un peu mal à l'aise.

À ce moment, le métro entra dans la station suivante. Les portes s'ouvrirent et l'homme se leva brusquement.

— Vous êtes contents, vous avez gagné, cria-t-il en sortant de la rame comme une tornade.

Le vieux monsieur récupéra son siège et tout le monde dans la rame applaudit le courage des deux adolescentes.

«Quel moment merveilleux, pensa Barbie. Les gens se sont unis pour aider un inconnu.»

Barbie se tourna pour partager son sentiment avec sa courageuse compagne. Mais la blonde aux longues tresses n'était plus à ses côtés. Elle était aussi descendue de la rame de métro.

Hochant la tête, Barbie sourit pour elle-même. Vraiment, New York était rempli de toutes sortes de gens. Et pour un qui était vraiment injuste et grossier, il y en avait beaucoup d'autres qui étaient aimables et bienveillants.

Chapitre 3

Première amie

Environ dix minutes après cet incident, le métro de Barbie pénétra dans la station Chambers Street et les passagers se déversèrent sur le quai. Au milieu de la bousculade, Barbie sortit de la rame.

Le quai était très long. Barbie n'était pas tout à fait certaine du chemin à emprunter pour trouver la sortie. Mais la marée humaine autour d'elle semblait se diriger dans une seule direction ; aussi décida-t-elle de suivre le mouvement général.

À mi-chemin, elle s'arrêta pour écouter un trio de guitaristes qui chantaient pour la foule en espagnol. Dès qu'ils eurent terminé, les applaudissements des spectateurs et des passants éclatèrent.

Quelques-uns d'entre eux qui avaient particulièrement apprécié le concert jetèrent des pièces dans un étui à guitare posé aux pieds des musiciens. Barbie chercha de la menue monnaie dans la poche de son sac à dos et la déposa dans la boîte.

Elle se sentait très fière d'elle. Elle avait accompli son premier trajet en métro sans problème, en vraie New-Yorkaise, et en plus, elle l'avait fait toute seule. Maintenant, la grande question était : comment rejoindre l'école ? Elle prit dans sa poche la brochure «jour zéro», fournie par l'école et y jeta un coup d'œil.

Sortez du métro à la station Chambers Street.
Marchez une rue vers le sud jusqu'à Warren
Street.
Continuez deux rues vers l'ouest jusqu'au
moment où vous rejoignez West Street.
Cherchez un grand building de pierre blanche.
Entrez en empruntant le tunnel sous West Street.
(Consultez le plan de la ville à la page 3.)

Barbie parcourut la brochure, très satisfaite d'avoir toutes ces instructions détaillées. Il n'y avait qu'un seul petit problème. La page 3 de la brochure, celle qui reproduisait le fameux plan, était manquante ! Barbie se souvenait des paroles de Terri : la Manhattan International High School était située quelque part du côté de Wall Street, au bout de la partie sud de l'île de Manhattan. Mais ce n'était pas simple de s'orienter dans New York, car Barbie ne pouvait situer le nord ou le sud, l'est ou l'ouest. Et ce qui rendait le problème plus compliqué encore, c'est que Barbie n'avait aucune idée du chemin à suivre pour quitter la station de métro. C'était peut-être le moment de demander de l'aide à quelqu'un.

Barbie promena son regard sur la foule à la recherche d'un visage avenant. Au milieu de tous ces hommes d'affaires très sérieux, elle remarqua un groupe de jeunes, qui avaient l'air sympathiques. Ils riaient, chantaient, sautaient... Parmi eux, elle repéra une fille à peu près de son âge, qui avait une longue natte brun foncé.

— Excusez-moi ! cria Barbie avec un petit signe.

Mais ses paroles se perdirent dans le grincement d'une rame de métro qui arrivait. La fille se mit à marcher devant elle, ignorant Barbie qui tentait d'attirer son attention.

— Flûte, soupira Barbie, déçue.

Elle suivit la fille des yeux sur le quai. Celle-ci portait avec désinvolture un sac à dos sur une épaule. Le sac portait l'inscription :

MANHATTAN INTERNATIONAL
HIGH SCHOOL

C'était bon signe. Barbie décida de lui emboîter le pas. Cette fille allait sûrement la conduire à l'école.

Tout à coup, il se produisit quelque chose. Un éclair de cheveux blonds, quelqu'un la dépassa et... ouf ! C'était l'adolescente australienne qui était venue en aide à Barbie auparavant. Elle venait de percuter la fille au sac à dos.

— Désolée, copine! Ça va aller? s'excusa-t-elle tandis qu'elle continuait à filer sur ses patins vers l'escalier.

La fille se frottait le coude. Barbie arriva à sa hauteur.

— Ça ira? demanda-t-elle.

— Je crois que oui, répondit la fille avec un adorable accent étranger, peut-être français. Il vaudrait peut-être mieux que les gens fassent attention à ce qu'ils font.

Et elle raccrocha son sac à son épaule.

— Je suis contente que tu ne sois pas blessée, dit Barbie. Ce n'est pas facile de s'arrêter en patins.

— Je sais, mais je ne mets pas les miens dans le métro, lui répondit-elle en souriant.

— Euh... Je peux te poser une question? demanda Barbie.

— Bien sûr, répondit la jeune fille.

— J'ai vu que tu avais un sac de la Manhattan International High School. C'est là que tu vas?

— Oui, répondit la fille. Je commence aujourd'hui.

— Moi aussi! Et je me suis un petit peu perdue. Je ne sais plus ce qu'il faut faire une fois en haut. Mon guide «jour zéro» a perdu sa page avec le plan.

La jeune fille se mit à rire.

— C'est drôle! Ma brochure a elle aussi perdu cette page! J'espérais que tu m'aiderais à trouver mon chemin…

Toutes deux éclatèrent de rire.

— Bon, on va devoir trouver une autre solution, lança Barbie avec un grand sourire.

— Nous allons chercher notre chemin ensemble.

La fille tendit la main à Barbie.

— Je m'appelle Lara, dit-elle. Lara Morelli-Strauss.

Barbie lui serra la main.

— Je suis Barbie Roberts. Je viens de Californie. Et toi, tu es Française?

— Comment dire? Disons: Européenne. Ma mère est Italienne et mon père est Allemand. Mais je suis née à Paris: mon père était professeur à la Sorbonne. Depuis que je suis née, j'ai vécu dans trois pays différents.

— Waoh! siffla Barbie, admirative.

— Ainsi, tu comprends, il est normal que je parle plusieurs langues. Je suis une fille avec… Comment pourrait-on dire?… des racines multiculturelles.

Barbie était fascinée par Lara. Elle avait vécu dans trois pays étrangers et elle parlait plusieurs langues, dont l'anglais! Barbie pensait qu'elle pourrait apprendre beaucoup de choses au contact d'une telle fille.

— Regarde, dit Lara. Un agent de police. On va lui demander notre chemin.

Effectivement, un agent de la police de New York se tenait près de l'escalier.

Les deux filles attendirent qu'il en ait fini avec une femme en tailleur, puis elles lui demandèrent le chemin de la M.I.H.S.

— C'est simple comme bonjour ! dit-il. Vous montez l'escalier, vous prenez la première à gauche ; au carrefour suivant, vous prenez à droite, vous marchez pendant deux rues et, bingo ! vous y êtes !

— Merci beaucoup, dit Barbie.

Tandis qu'elles montaient les marches de l'escalier, Barbie remarqua que Lara portait une grosse boîte qu'elle heurtait du genou. Cela intrigua beaucoup Barbie. Peu de jeunes filles amenaient habituellement ce genre de bagage à l'école.

— Que transportes-tu là-dedans ? demanda-t-elle. Ça a l'air très lourd, non ?

— Ce n'est pas si lourd, répondit Lara par-dessus son épaule. Mais c'est quelque chose auquel je tiens beaucoup.

Quand elles furent en haut de l'escalier, Lara posa la boîte sur une bouche d'incendie, puis l'ouvrit.

— Je vais te faire un petit cadeau, dit-elle. Pour te remercier.

— Ce n'est vraiment pas la peine, répondit Barbie.

— Mais j'en ai envie, insista Lara.

Barbie jeta un œil dans la boîte par-dessus l'épaule de Lara. Elle vit des rangées de tubes de peinture soigneusement alignés et un choix de pinceaux de très bonne qualité. Le contenu du coffret devait coûter une fortune.

Dans un compartiment spécial du couvercle de la boîte se trouvaient une série de superbes cartes postales peintes à la main. Lara en prit une et l'offrit à Barbie. C'était une vue de Paris la nuit. Barbie avait reconnu la tour Eiffel à l'arrière-plan.

— Lara, c'est vraiment toi qui l'as peinte ? demanda-t-elle.

— Bien sûr !

— C'est génial ! Cela pourrait figurer dans un musée ! Tu es vraiment une grande artiste !

— Oh ! Cela n'est rien.

— Lara, dit Barbie, je ne peux pas accepter ton cadeau. C'est trop beau. Il est impossible que tu veuilles te séparer de quelque chose comme ça.

— Bien sûr que je le veux ! reprit Lara. J'en ai beaucoup de ce genre-là. Et si j'en désire plus, j'en peins plus ! Je t'en prie, accepte-la.

Barbie était profondément touchée.

— Merci, dit-elle. Je la garderai toujours.

Lara referma la boîte. Il était temps de se mettre

en route si elles voulaient arriver à l'heure à l'école. En chemin, elles échangèrent leurs impressions sur leurs débuts de New-Yorkaises. Finalement, elles arrivèrent à destination. Barbie ne pouvait pas être plus contente. Son souhait s'était réalisé : elle venait de se faire une première amie.

Chapitre 4

Le pari de Lara

Dans West Street, Barbie et Lara rejoignirent la foule des élèves qui se dirigeaient dans le tunnel réservé à l'école. Ce tunnel était fortement éclairé, avec des accès en plan incliné et un ascenseur spécialement conçus pour les élèves handicapés. Tous les quelques mètres le long des murs il y avait de grands miroirs polis sur lesquels étaient peints les visages de jeunes issus des quatre coins du monde.

Barbie attira l'attention de Lara.

— C'est vraiment superbe, dit-elle en observant attentivement chacun des portraits devant lesquels elle passait. C'est comme si l'on se regardait dans un miroir. Mais seulement, on aperçoit deux visages : le sien et celui qui est peint.

Puis elle se tourna vers sa nouvelle amie.

— Qu'en penses-tu, Lara ?

— C'est fantastique, répondit celle-ci, en

donnant à chaque syllabe un petit accent français chantant. J'aime tout. Les couleurs, le réalisme des visages. La façon dont nous devenons nous-mêmes une partie de l'œuvre.

Elle sourit puis reprit :

— C'est pour cela que j'ai décidé de m'inscrire à la M.I.H.S. Tu n'aurais jamais pu trouver un pareil tableau dans mon ancienne école.

— Tu plaisantes !

Lara secoua la tête pour dire non.

— Pas le moins du monde, je t'assure.

— C'est incroyable ! J'étais persuadée que Paris était la capitale artistique du monde, de l'Europe en tout cas.

— C'est exact. Mais mon école à Paris était vraiment stricte. Tout devait être fait selon les règles.

— Alors, pourquoi t'y es-tu inscrite ?

— Ma famille a aussi ses règles. Mon père a choisi cette école parce qu'il connaît de célèbres artistes qui y enseignent... Mais je ne voulais pas peindre comme ces artistes. Je voulais peindre comme moi. Mais ce n'était pas permis.

— Et tu n'en as pas parlé à tes parents ?

Lara poussa un profond soupir.

— J'ai essayé. Je les ai suppliés de m'envoyer ailleurs. Ma mère a dit oui tout de suite. Mais mon père a refusé, sous prétexte qu'il pensait que c'était bien pour moi de savoir peindre comme ces artistes. J'ai dit non. Il a dit oui. Il n'y avait rien à faire. Finalement, j'ai décidé de conclure avec lui un... Comment appelez-vous cela ?... une sorte de marché.

— Tu veux dire un pari ?

— Oui, c'est exact, un pari.

— Qu'as-tu parié ?

— J'ai parié avec lui que j'étais capable d'apprendre à peindre comme ces artistes en un an, de gagner le prix artistique et d'être parmi les meilleurs élèves de l'école. Je lui ai promis que si j'échouais, je resterais dans cette école sans plus jamais me plaindre.

— Et si tu gagnais ?

— Alors mon père devrait me laisser aller dans l'école de mon choix.

Barbie siffla doucement.

— Woh ! Un pari ! Tu as vraiment pris des risques !

— Peut-être.

— Non, sûrement ! Tu m'épates vraiment.

— Ce n'est rien, dit Lara. Je n'avais pas d'autre choix. L'art représente tout pour moi.

Barbie était émerveillée par son amie. Elle ne connaissait personne de son âge qui s'intéressait aussi fort à quelque chose que Lara.

— Le reste, tu peux sûrement le deviner. J'ai

gagné mon pari, et j'ai choisi la M.I.H.S. Ici, je pourrai pratiquer l'art que je veux, dans le style qui me plaira.

La voix de Lara se fit plus douce.

— Ici, je peux être libre d'être moi-même.

— Et ton père est d'accord avec cela ?

— Bien sûr ! Il le doit ! Parce qu'un événement très heureux est survenu et que tout a changé.

Les yeux de Barbie s'agrandirent.

— Qu'est-ce qui pourrait être plus heureux que de réaliser ton vœu le plus cher ?

— Tu sais, mon père est professeur d'université. Et juste au moment où j'apprenais que je venais de gagner le prix artistique, il s'est vu offrir un poste ici, à New York. Ainsi, au lieu que je sois seule à venir habiter ici, c'est toute ma famille qui est venue s'installer.

— Incroyable, dit Barbie. Je t'avoue que je suis jalouse ! Mon père et ma mère sont actuellement en Chine. Le reste de ma famille est en Californie. Et j'habite ici chez des amis de mes parents.

— Tes parents, ils sont en vacances en Chine ?

— En réalité, non. Ils travaillent là-bas. Ils font des fouilles archéologiques.

— Je vois. Ce travail doit être très intéressant.

— C'est vrai ! Mais j'aimerais tellement que nous soyons à nouveau tous réunis, comme ta famille.

Lara lui lança un regard amusé.

— Je sais exactement ce que tu ressens, dit-elle. C'est vraiment triste d'être tous séparés. Mais ce n'est jamais parfait non plus lorsque la famille est réunie !

Cette réflexion étonna Barbie, mais elle n'osa pas poser de questions, de peur de paraître indiscrète. Elle continua à marcher en silence avec sa nouvelle amie, tout en admirant les tableaux.

À la sortie du tunnel, les jeunes filles furent saluées par deux responsables de l'école. L'un de ces adultes était une petite femme dynamique aux longs cheveux brun clair, avec d'expressifs sourcils noirs au-dessus de ses grands yeux verts. À côté de la poche de son tailleur, elle portait un badge sur lequel on pouvait lire :

BONJOUR ! JE SUIS LA DIRECTRICE
SIMMONS ! JE NE MORDS PAS !

L'autre personne était un grand homme à lunettes, avec un menton à fossette et une fine moustache. Il avait les cheveux brillants, soigneusement partagés par le milieu. À voir ses yeux rouges et embués, on aurait dit qu'il souffrait d'allergies. Son badge portait SOUS-DIREC-TEUR MERLIN en grandes lettres majuscules.

Le sous-directeur Merlin éternua bruyamment.

— Bonjour, renifla-t-il en s'adressant à Lara et Barbie. Bienvenue au «jour zéro» !

Barbie le gratifia d'un large sourire et dit :

— Je m'appelle Barbie Roberts.

— Excusez-moi, Oliver, dit la directrice Simmons en souriant à Barbie. Je me souviens très bien de votre fiche d'inscription. Vous avez trois sœurs plus jeunes. Et vous êtes intéressée par le théâtre et le cinéma.

— C'est surprenant ! s'exclama Barbie. Comment pouvez-vous vous souvenir de tout cela ?

La directrice Simmons se mit à rire.

— Malgré mon âge, mes petites cellules grises fonctionnent encore bien, je suppose !

Barbie serra la main de la directrice.

— Je suis très heureuse d'être ici, dit-elle.

— Nous sommes, nous aussi, enchantés de vous compter parmi nous.

Puis, elle jeta un coup d'œil à sa liste.

— Vous serez dans le groupe d'accueil de monsieur Toussaint, local 555. Je constate d'après le programme qu'il sera aussi votre professeur d'anglais. Je suis sûre que vous allez l'apprécier.

Ensuite, Lara fit un pas en avant et se présenta.

— Vous rejoindrez le groupe d'accueil d'arts créatifs de monsieur Harris, local 241. Il sera votre professeur d'art.

Le sous-directeur Merlin pointa les deux jeunes filles sur sa liste. Ensuite la directrice Simmons les dirigea vers un ensemble de tables installées sur l'aire de jeu attenant à l'école.

— Vous pouvez déposer vos affaires personnelles là-bas. Installez-vous où vous voulez. Il y a des bancs partout. Mangez. Rencontrez les autres. Amusez-vous. Faites ce que vous voulez. Quand vous entendrez la cloche, rejoignez votre groupe d'accueil.

Elle sourit poliment, puis fit un petit signe aux élèves qui s'avançaient à la suite.

Barbie et Lara s'installèrent sur un banc qui donnait sur la rivière. Elles mangèrent leur pique-nique dans l'ombre du World Trade Center, dont les deux immenses tours jumelles séparaient la lumière du matin comme un immense diapason.

Peu après, deux autres élèves les rejoignirent, un garçon et une fille. On remarquait au premier coup d'œil que les nouveaux venus ne connaissaient personne d'autre. Aussi Barbie décida-t-elle de briser la glace. Elle prit un sac de chips, déchira l'emballage et le posa au milieu de la table. Puis elle proposa à chacun de se servir. Chacun se mit à manger. Barbie distribua alors des serviettes et se présenta, ainsi que Lara. Les deux autres se présentèrent à leur tour. La jeune fille s'appelait Ana Suarez et le garçon Randall Zaleski.

Ana était une jeune fille souriante, d'origine mexicaine, avec une longue et brillante chevelure noire et de perçants yeux bruns. C'était le genre de fille qui était naturellement séduisante et qui avait rarement besoin de maquillage. Barbie devina qu'elle devait faire beaucoup d'exercice physique. Elle avait les bras et les épaules musclés et bien bronzés, les mains noueuses et les ongles coupés à ras. Effectivement, Ana expliqua quelques minutes plus tard qu'elle était une athlète de bon niveau. Elle s'entraînait depuis des mois pour le prochain triathlon de Central Park, auquel elle comptait participer. Cette compétition comportait trois sports différents : la natation, la course à pied et le vélo.

De même, le garçon plut immédiatement à Barbie. Il avait de grands yeux bruns de chiot abandonné et un air timide et vulnérable qui donnait l'envie de s'occuper de lui et de le protéger. Il portait un jean noir rapiécé, de tristes chaussettes noires, de grosses chaussures noires (aux lacets défaits) et une chemise noire usée. Sa coiffure était un désastre : des mèches désordonnées partaient dans tous les sens. Lorsqu'il se présenta aux deux filles, il rougit, et les mots qu'il prononça furent si inaudibles qu'il dut les répéter pour qu'on le comprenne. Quand Barbie lui présenta une autre chips, leurs doigts se touchèrent accidentellement et il rougit une seconde fois.

Randall ne parla plus beaucoup après. Au lieu

de cela, il prit un bloc-notes et commença à griffonner d'amusants petits dessins de super-héros de bandes dessinées. Lara se tenait tout près de Randall, observant chacun des traits, chacune des lignes, chacune des ombres qu'il dessinait. Barbie pouvait presque entendre Lara se dire à elle-même : «Oui, c'est pour cela que j'ai décidé de venir à la M.I.H.S.»

Au moment où ils finissaient de manger, la cloche retentit. C'était l'heure de se séparer pour rejoindre les différents groupes d'accueil. Barbie et Lara décidèrent rapidement qu'elles se retrouveraient après l'école et fixèrent un lieu de rendez-vous.

Tandis que Barbie attendait dans un rang avant de pénétrer dans le bâtiment, elle crut apercevoir du coin de l'œil un visage familier. Elle jeta un coup d'œil par-dessus son épaule. Là, sur la route menant au parking des professeurs, se tenait une jeune fille avec de longues tresses blondes, exécutant une manœuvre acrobatique sur ses patins.

– Est-ce possible ? s'étonna Barbie.

Était-ce bien la fille qui l'avait aidée dans le métro ? Elle ferma les yeux et les ouvrit à nouveau. Mais la mystérieuse Australienne avait à nouveau disparu, comme un mirage.

Perplexe, Barbie gagna sa classe au cinquième

étage. Elle ne voulait pas être en retard pour le cours de monsieur Toussaint.

Chapitre 5

Monsieur Toussaint

Barbie s'assit près de la fenêtre. De là, elle pouvait pratiquement apercevoir tout le port de New York et, dans la brume lointaine, la statue de la Liberté. Au moment où une sonnerie retentit, signalant le début de la journée d'accueil, environ vingt-cinq élèves s'étaient installés dans la classe.

Monsieur Toussaint ne voulait laisser planer aucun doute sur la matière qu'il enseignait. Le local était couvert de photos d'écrivains célèbres, de citations de grands auteurs et d'extraits de poèmes émouvants.

Monsieur Toussaint était assis sur le bord de son bureau. C'était un Afro-Américain de grande taille aux cheveux légèrement grisonnants, avec un large front et des yeux vifs. Il portait avec beaucoup d'élégance un costume bleu marine, une chemise blanche et une cravate de soie rouge. Il avait une présence incroyable. Sans qu'il eût à dire quoi que ce soit, les bavardages des élèves cessèrent.

Progressivement, tous les visages se tendirent vers lui : vingt-cinq paires d'yeux le dévisageaient à présent avec curiosité, la classe se taisait.

— Bien ! dit monsieur Toussaint d'une voix profonde.

Il ôta sa veste et la déposa sur le dossier de sa chaise.

— Nous pouvons commencer !

Il se leva, alla vers le tableau et écrivit :

HENRI TOUSSAINT

— C'est mon nom, dit-il. Je serai votre professeur d'anglais cette année. Nous nous verrons tous les jours, à la deuxième heure. J'ai aussi deux autres tâches au sein de l'école. Je suis le superviseur des élèves de première et le responsable du journal de l'école. Si vous avez le moindre problème, mon bureau vous est ouvert, c'est le 502. Si vous y venez, vous constaterez qu'il n'a pas de porte. Il y a une bonne raison à cela : je l'ai enlevée. Je ne crois pas aux portes fermées. Si vous venez pour me parler, je suis là pour vous écouter.

Il fit une pause, balayant toute la classe d'un regard.

— Tout le monde a compris ?

La classe fit un signe de tête.

— Parfait !

Monsieur Toussaint fit face aux élèves.

— Maintenant, je vais vous dire quelques mots à propos de la M.I.H.S. Comme vous pouvez le constater, cette école est flambant neuve. Tellement neuve en fait que le bâtiment recèle encore beaucoup d'imperfections. Vous aurez par exemple remarqué que les escaliers roulants ne fonctionnent pas encore...

— Je suis restée coincée dans l'ascenseur, cria une élève.

— Moi aussi, dit un autre.

— Et il n'y a pas d'eau chaude dans les toilettes des filles, se plaignit une troisième.

Monsieur. Toussaint leva une main et se mit à rire.

— OK, OK, je reconnais que vous avez tous et toutes raison. Essayez pourtant d'être patients. La directrice Simmons fait tout son possible pour que tout soit en place et fonctionne parfaitement dans quelques semaines.

— Dans quelques semaines ? dit d'une voix rauque un garçon maigre et efflanqué dans le fond de la classe. Donnez-moi congé, alors ! Je ne vais tout de même pas m'avaler cinq volées de marches tous les jours pendant des semaines !

Un murmure parcourut la classe. Monsieur Toussaint intervint :

— Je vais vous dire quelque chose. Cette école n'est pas seulement un bâtiment. Cette école est faite pour que des professeurs et des élèves travaillent ensemble avec un objectif commun.

Son front se plissa.

— Certaines personnes pensent qu'une école publique comme la nôtre ne peut fonctionner et que la seule bonne formation est celle qu'on peut acheter très cher dans une école privée. Ici, nous ne raisonnons pas comme cela. Nous pensons que vous êtes ici parce que vous voulez apprendre. Et ce qui est encore plus important, nous pensons que vous êtes ici parce que vous voulez apprendre au contact d'autres personnes.

Monsieur Toussaint s'arrêta et regarda intensément la classe.

— Laissez-moi faire un petit sondage. Combien d'entre vous sont de New York ?

Une douzaine de bras se levèrent.

— Combien d'une autre partie des États-Unis ?

Cinq élèves, dont Barbie, levèrent la main.

— Bien. Et combien d'entre vous viennent d'un autre pays ?

Sept bras se tendirent dans les airs.

— Magnifique ! dit monsieur Toussaint.

Il revient vers le tableau.

— Vous avez sûrement dû voir la devise de l'école sur la sculpture devant le bâtiment. Sinon, la voici :

BEAUCOUP DE PEUPLES,
BEAUCOUP DE CULTURES,
UN SEUL CŒUR, UN SEUL MONDE

— Ici, nous prenons ces mots très au sérieux, dit-il. C'est vous qui rendrez cette école formidable et qui donnerez à ces mots tout leur sens : vos idées, vos rêves, vos désirs. C'est avec joie que moi, j'ai grimpé les cinq volées de marches pour avoir le privilège d'enseigner à des élèves tels que vous.

Il jeta un regard circulaire.

— Et maintenant, quelqu'un a-t-il encore une plainte à formuler à propos de ce bâtiment qui n'est pas encore tout à fait prêt ?

La classe resta silencieuse. Barbie était subjuguée. Elle n'avait jamais entendu auparavant un professeur tenir un tel discours.

— Bien, dit monsieur Toussaint. Alors, on peut y aller.

Il y avait un éclair malicieux dans ses yeux.

— J'ai besoin de deux volontaires. Que pensez-vous d'un garçon et d'une fille ?

Les élèves se firent tout petits sur leur chaise.

— Allez ! insista monsieur Toussaint. Je vous jure que je n'ai jamais mangé personne. D'ailleurs, j'ai déjeuné ce matin !

Il se mit à rire.

Barbie leva une main hésitante. Après tout, si elle voulait être actrice, elle devait apprendre à être à l'aise en face d'un public.

— Excellent ! En voilà une, dit monsieur Toussaint. Maintenant, j'ai besoin d'un garçon.

Il jeta à nouveau un regard circulaire sur sa classe. Mais aucun garçon ne se porta volontaire. Monsieur Toussaint posa ses mains sur ses hanches, un grand sourire aux lèvres.

— Quelle bande de mauviettes ! D'accord, alors une autre fille !

Assise directement en face de Barbie se tenait une autre fille. Une cascade de boucles auburn coulait sur ses épaules. Elle leva la main, elle aussi.

— Très bien ! Une autre fille courageuse !

Il les fit venir devant la classe. Barbie était un peu nerveuse, car elle ne savait pas très bien ce qu'elle était censée faire.

— Je suppose que chacune de ces demoiselles a un nom ?

— Barbie Roberts, dit Barbie.

— Et je m'appelle Chelsie Peterson, ajouta timidement la jeune fille aux cheveux auburn.

Elle parlait avec un joli accent anglais et une distinction certaine.

— Enchanté, dit monsieur Toussaint avec une petite révérence.

Il ôta sa cravate et la tendit à Barbie.

– Voici, Barbie. J'ai besoin de toi pour réaliser une petite expérience. J'aimerais que tu noues cette cravate autour du cou de ta camarade. Fais-le lentement, si tu veux bien, afin que nous puissions tous voir comment tu fais.

– Hum... D'accord, dit Barbie.

– Maintenant, tout le monde regarde, dit monsieur Toussaint à la classe.

Barbie tourna autour Chelsie, un peu hésitante. Celle-ci avait un doux visage ovale au teint pâle et de jolis yeux noisette. Barbie devait écarter la masse des boucles soyeuses pour passer la cravate de monsieur Toussaint autour de son long cou.

– Oh, ça chatouille ! dit Chelsie en riant tandis que Barbie nouait la cravate.

– Bravo, les filles ! dit monsieur Toussaint en applaudissant. Maintenant, je voudrais que vous restiez comme cela pendant que les autres prennent un stylo et du papier.

La classe poussa un gémissement.

– Je ne savais pas que nous étions censés avoir un bloc-notes aujourd'hui !

– J'ai justement une crampe qui m'empêche d'écrire !

– Mon chien a mangé mon stylo !

– Bien essayé, vous êtes très forts, dit monsieur Toussaint en pointant la classe du doigt. Mais vous n'allez pas vous en tirer aussi facilement, je suis encore plus fort que vous tous !

Il fit signe au garçon maigre au fond de la classe.

— Jeune homme ! Quel est votre nom ?

— Fletcher, monsieur.

— Bien. Fletcher, voulez-vous gentiment passer du matériel pour écrire à tous ceux qui en auraient besoin ? Vous trouverez du papier et des stylos dans l'armoire derrière vous.

Fletcher fit ce que monsieur Toussaint lui avait demandé. Un instant plus tard, le professeur réclamait à nouveau le silence.

— J'espère que vous avez tous bien regardé comment Barbie procédait, commença-t-il. Parce que maintenant, je veux que vous décriviez exactement comment elle a fait, étape par étape.

Il fit une pause.

— Dès que vous aurez fini, nous demanderons à Barbie de suivre à la lettre vos instructions. Nous verrons si quelqu'un est capable de donner les bonnes consignes.

— Je ne pourrai jamais faire cela, dit un garçon.

— Qu'est-ce qu'on gagne ? demanda une fille.

— C'est du gâteau ! railla un autre élève.

— On va voir ça, dit doucement monsieur Toussaint.

Les élèves se mirent à travailler avec enthousiasme. Chacun voulait être celui qui relèverait le défi. Pourtant, la tâche se révéla plus difficile que ce à quoi ils s'attendaient. Barbie s'appliquait à suivre les instructions que ses camarades avaient écrites aussi précisément qu'elle le pouvait. Dans quelques cas, le nœud de cravate ne ressemblait à rien de connu. Dans d'autres cas, il était fait à moitié. Ou encore, il ne tenait tout simplement pas.

— Ça alors! s'exclama une fille après qu'on eut essayé toutes les différentes versions. Personne n'y est arrivé! Je pensais vraiment que cela serait facile.

Monsieur. Toussaint marcha à grandes enjambées vers le tableau.

— Écrire des choses peu claires est toujours facile, dit-il. Mais s'exprimer dans un langage clair est toujours difficile. Ce qui rend l'écriture claire si difficile, c'est que cela vous force à être exigeant et honnête avec vous-même. Vous devez toujours vous poser cette question : «Qu'est-ce que j'ai vraiment l'intention de dire?»

Il se tourna vers le tableau et écrivit:

ÉCRIRE = ÊTRE HONNÊTE
= DIRE LA VÉRITÉ

— Dans cette classe, expliqua-t-il, vous écrirez fréquemment des histoires véridiques, avec honnêteté. Et en faisant cela, vous ressentirez votre propre pouvoir en tant qu'individu. Je veux que vous répétiez ces mots à voix haute.

Il frappa les mots au tableau.

— Écrire, c'est être honnête, c'est dire la vérité, récitèrent quelques voix timides.

— Plus fort, ordonna monsieur Toussaint.

Le chœur s'amplifia.

— ÉCRIRE, C'EST ÊTRE HONNÊTE, C'EST DIRE LA VÉRITÉ.

Monsieur Toussaint se mit les mains en pavillon derrière les oreilles.

— Je n'entends toujours rien !

— ÉCRIRE, C'EST ÊTRE HONNÊTE, C'EST DIRE LA VÉRITÉ, crièrent les élèves à pleins poumons, en souriant d'une oreille à l'autre.

Jamais un professeur ne leur avait demandé de crier en classe !

À ce moment précis, la porte du fond s'ouvrit et la tête de monsieur Merlin parut dans l'entrebâillement.

— Est-ce que tout va bien ici, monsieur Toussaint ? demanda-t-il. Il me semble qu'il y a un sacré vacarme dans ce local.

Monsieur Merlin éternua bruyamment.

— Tout va très bien, monsieur Merlin, dit monsieur Toussaint. Nous étions juste en train de nous... euh... réveiller les cordes vocales.

Monsieur Merlin s'essuya le nez.

— Bon, je vois. Dans ce cas, continuez! dit-il en reniflant avant de refermer la porte.

Monsieur Toussaint regarda l'horloge.

— Bon. Il est 11 h 30. Il nous reste vingt minutes avant que vous ne rentriez chez vous. Maintenant, je veux que chacun d'entre vous travaille avec un partenaire. Vous allez vous comporter en véritable reporter et faire l'interview de la personne que vous aurez choisie; ensuite, comme devoir pour ce soir...

La classe se mit aussitôt à protester.

— ... Comme devoir, ce soir, vous écrirez un texte sur la vie de votre partenaire; en retour, votre partenaire écrira un texte sur la vôtre. Ne dépassez pas deux cents mots.

— Euh... cinquante, ça ira? demanda Fletcher en riant.

— Seulement s'ils sont brillants, rétorqua monsieur Toussaint. Bien. Maintenant, il reste la bonne nouvelle: en guise d'encouragement, les deux meilleures compositions seront publiées dans le journal de l'école.

Une minorité continua à grogner, mais la plupart semblaient vraiment excités à l'idée de voir leur texte publié et être lu par toute l'école.

Les regards de Barbie et Chelsie se croisèrent.

— Partenaires? demanda Barbie.

— Partenaires! approuva Chelsie.

Puis les deux filles s'assirent et commencèrent à prendre rapidement des notes sur leurs vies respectives. Barbie demanda à Chelsie si elle voulait faire la connaissance de Lara après l'école, mais Chelsie la remercia en disant qu'elle ne pouvait pas. Elle lui expliqua que, ces temps-ci, sa mère ne se sentait pas bien et qu'elle voulait être auprès d'elle pour s'en occuper, car son père était toujours à l'étranger pour affaires. Lorsque la sonnerie retentit, les deux filles échangèrent rapidement leur numéro de téléphone, au cas où elles auraient besoin de renseignements supplémentaires pour leur composition.

Barbie se précipita dans l'escalier et gagna la porte principale en direction de l'immense statue de bronze représentant un personnage tenant un globe terrestre en équilibre sur un doigt : c'est là qu'elle avait donné rendez-vous à Lara.

Elle aperçut à vingt mètres son amie qui se tenait sur le chemin réservé aux vélos et aux patins. Quelque chose avait dû la mettre hors d'elle, car elle trépignait et sautait sur place, en hurlant des mots de français. Barbie attrapa son amie par l'épaule et essaya de la calmer.

— Qu'est-ce qui ne va pas ? demanda-t-elle.

Lara pointa la piste cyclable.

— Cette fille, parvint-elle à articuler, pâle de colère. Elle m'a volé ma boîte de peinture.

Barbie regarda. Là-bas, au loin, une fille blonde avec de longues tresses filait sur le chemin. Elle tenait la boîte de peinture entre les bras.

Le cœur de Barbie se serra. Il n'y avait aucun doute possible sur son identité. C'était assurément l'Australienne qu'elle avait rencontrée ce matin dans le métro. Barbie ne comprenait pas. Comment la courageuse jeune fille qui l'avait aidée si généreusement pouvait-elle être aussi une voleuse ?

Chapitre 6

Au voleur!

Lara sautillait comme une folle.

— Mes cartes postales! Mes peintures! J'avais tout dedans, cria-t-elle, prête à se lancer à la poursuite de la voleuse.

— Tu ne pourras jamais la rattraper, dit Barbie. Elle est bien trop loin et en patins en plus!

— Cette boîte vaut au moins deux cents dollars!

Une rafale de vent soufflant de la rivière fit s'envoler un couple de mouettes au-dessus de leurs têtes. Pendant un instant, les oiseaux restèrent immobiles dans les airs, luttant face au vent et appelant leurs congénères de leurs cris perçants. Ils examinèrent les deux jeunes filles avec curiosité. Ensuite, ils basculèrent leurs ailes et filèrent comme des flèches au-dessus de l'eau.

Lara prit une profonde inspiration. Après quelques instants, la rougeur de son visage s'atténua. Son regard redevint calme et son souffle se fit moins bruyant. Elle avait retrouvé son sang-froid.

— Tu m'expliques, maintenant ? demanda Barbie d'une voix douce.

Lara haussa les épaules.

— Il n'y a pas grand-chose à raconter. Je suis sortie du cours un peu plus tôt et je suis venue directement ici. J'ai laissé ma boîte de peinture juste cinq minutes, le temps d'aller aux toilettes. Quand je suis revenue, elle avait disparu. Et cette fille — elle montra du doigt la fille en patins qui s'éloignait — s'enfuyait à toute vitesse avec ma boîte !

Lara fronça les sourcils.

— Il faut avertir madame Simmons, et elle appellera la police !

— Non ! cria Barbie.

La vivacité de sa réaction la surprit elle-même.

— Et pourquoi pas ? Si cette fille n'est pas dénoncée, elle pourra en toute liberté voler à nouveau et il y aura d'autres victimes.

Les pensées se bousculaient sous les cheveux blonds de Barbie. Elle n'arrivait pas à croire en la culpabilité de la jeune fille. Sa tête lui indiquait que tout accusait l'Australienne mais son cœur était certain de son innocence. Une fille assez généreuse pour défendre quelqu'un de plus faible n'aurait pas commis un acte aussi lâche qu'un vol.

— Je reconnais que ça a l'air complètement dingue, dit Barbie. Mais je pense qu'il vaudrait mieux attendre un peu avant de prévenir qui que ce soit.

— Tu veux dire que nous ne devrions rien faire, alors ?

Barbie regretta immédiatement ses paroles ambiguës et elle sentit le rouge lui monter aux joues.

— Non, ce n'est pas ce que je voulais dire ! Tu peux, si tu veux, prévenir madame Simmons, mais…

— Mais quoi ?

— Je suis sûre qu'il existe une explication rationnelle à tout ça. Je connais un peu cette fille et je suis certaine qu'elle n'est pas malhonnête.

Lara dévisagea Barbie avec méfiance.

— Comment peux-tu en être aussi sûre ?

Barbie commença alors à raconter à Lara l'épisode du métro. Après qu'elle eut fini, Lara resta pensive quelques instants, puis déclara :

— Tu es vraiment trop gentille, Barbie. Et tu penses que tous les gens sont aussi bons que toi. Je reste persuadée que tu as tort… Mais d'une certaine manière, tu m'obliges à raisonner ainsi.

— Lara, dit Barbie, acceptes-tu de me laisser retrouver cette fille et de chercher à comprendre pourquoi elle t'a pris ta boîte ?

— J'accepte de lui laisser une chance. Mais si tu échoues, je raconterai tout à la directrice. Au cas où cette fille ne serait pas aussi honnête que tu veux le croire.

— D'accord, dit Barbie. C'est équitable.

Il était déjà plus de 13 h et Barbie entendit un grondement sourd en provenance de son estomac. Elle ne pouvait plus réfléchir à la manière qu'elle allait employer pour retrouver la jeune Australienne, ou à ce qu'elle pourrait lui dire une fois qu'elle l'aurait trouvée. Elle avait bien trop faim pour cela !

Comme si elle lisait dans ses pensées, Lara demanda :

— As-tu faim ?

— Je suis absolument affamée, s'exclama Barbie.

Lara sourit.

— Il vaudrait mieux que nous trouvions un restaurant avant que tu ne tombes dans les pommes !

Elles n'eurent pas besoin de marcher beaucoup. À seulement un coin de rue de l'école, elles trouvèrent un casse-croûte qui avait l'air sympa. L'endroit était baptisé Eatz. De la rue, le restaurant ne payait pas de mine. Mais une fois à l'intérieur, l'endroit plut beaucoup aux deux jeunes filles. Eatz était de la taille de deux voitures de chemin de fer reliées en L. Des banquettes de vinyle orange couraient le long des murs. Dans un coin, un juke-box diffusait de vieux succès du rock.

Lara et Barbie s'assirent près d'une fenêtre et se mirent à lire le menu. Barbie avait beaucoup de mal à se décider, tout lui semblait délicieux. Son indécision commençait à exaspérer Lara et elle la pria de choisir vite. Un peu gênée, Barbie commanda un hamburger, tandis que le choix de Lara s'arrêtait sur une salade composée et un bol de soupe aux champignons.

L'endroit plaisait visiblement à de nombreux élèves de l'école. Barbie aperçut Lara, ainsi que Randall. Tandis que Barbie engloutissait son hamburger, Lara leva sa fourchette et la pointa en direction d'une mince jeune fille noire, en grande conversation avec un ami.

— Tu vois cette fille ? demanda-t-elle à Barbie. Elle s'appelle Nichelle Watson. Elle était dans mon groupe ce matin. Elle est vraiment sympa.

Barbie jeta un regard distrait dans la direction indiquée.

— Elle nous a parlé de l'art africain et du jazz américain. Chaque fois qu'elle ouvre la bouche, c'est pour dire des choses intéressantes. J'espère que je pourrai mieux faire sa connaissance.

Après le repas, Lara et Barbie restèrent encore une bonne heure au resto, buvant de la limonade, écoutant de la musique ou discutant de choses et d'autres. Elles passèrent également un long moment à observer deux garçons qui jonglaient avec des balles de tennis. Comme ils portaient des pantalons très larges, Lara les surnomma le duo «Pantalon».

Lara voulait encore rester un peu pour bavarder avec Nichelle, mais Barbie se souvint du devoir d'anglais. Elle salua donc tout le monde à contrecœur et reprit le métro en direction des quartiers résidentiels.

Quand Barbie arriva, l'appartement était vide. Mais deux messages l'attendaient sur le répondeur. Le premier appel était de Chelsie. Barbie décida de la rappeler quand elle aurait écrit quelque chose. Le second était de Selma Devine, l'amie de Sam qui était agente.

Le cœur de Barbie battit plus fort. Que pouvait bien lui vouloir Selma Devine? Elle nota soigneusement le numéro, se rendit dans sa chambre et s'installa confortablement avec le téléphone. Ensuite, elle composa le numéro d'une main tremblante.

Une sonnerie, deux sonneries, trois... Au moment où Barbie allait raccrocher, une voix féminine se fit entendre sur la ligne.

— Bonjour, je voudrais parler à Selma Devine.

— C'est elle-même, mon ange.

Barbie se redressa, droite comme un i, le cœur battant.

— Madame Devine ?

— Selma, ma chérie.

— D'accord, Selma. Je m'appelle Barbie, Barbie Roberts.

— Ah, Barbie ! J'espérais que tu me rappellerais assez vite. Comment ça va ? C'est toi la fille qui habite chez Sam et Terri, non ?

— Heu... Du moins pendant mes études à Manhattan.

— C'est génial ! s'exclama l'agent. Terri et Sam sont des gens adorables.

— Je les connais peu, mais je les aime déjà beaucoup, confia Barbie.

— Merveilleux ! répliqua Selma. Je suis très contente pour toi.

L'agente s'éclaircit la gorge et enchaîna :

— Écoute, ma chérie, dit-elle, je suppose que tu te demandes pourquoi j'ai appelé.

Barbie serra le combiné d'une main moite.

— Heu... oui.

— Eh bien, Sam m'a dit que tu envisageais de te lancer dans une carrière d'actrice.

— C'est exact. C'est mon rêve depuis toujours.

L'agente soupira.

— Malheureusement, il faut que tu saches que c'est aujourd'hui le rêve de bien des jeunes filles.

Écoute, je suis quelqu'un qui va toujours droit au but. Devenir actrice, c'est loin d'être facile. Et une fois qu'on a vu l'envers du décor, c'est beaucoup moins séduisant! Il n'y a qu'une toute petite poignée d'acteurs qui arrivent au sommet. Le talent n'est pas tout, il faut aussi beaucoup de cran et de détermination ainsi qu'une part de chance.

Elle s'arrêta un instant pour que ses mots s'impriment bien dans l'esprit de son interlocutrice.

— Est-ce que tu me comprends bien?

— Parfaitement.

— OK, as-tu déjà de l'expérience en tant qu'actrice? As-tu joué des scènes?

— Quelques-unes, répondit Barbie.

— Comme quoi, par exemple?

Barbie avait déjà préparé mentalement cet exposé et elle en avait dressé une liste dans sa tête.

— Eh bien, j'ai joué dans quatre pièces de théâtre à l'école. J'ai interprété le rôle de Heidi au festival d'été de Malibu. J'étais Dorothy dans *Le Magicien d'Oz* pour une télévision locale. Et ces deux dernières années, j'étais l'assistante du magicien Dundarr le Magnifique au festival de Noël pour enfants au centre commercial de Malibu.

— Ce n'est pas trop mal. Ça, c'était en Californie?

— Euh... oui.

– Hmmm, dit Selma. Il se peut alors que j'aie quelque chose pour toi.

– Vous êtes sérieuse ?

– Je ne t'aurais pas contactée si je n'avais rien.

– Un vrai rôle d'actrice à New York ! s'exclama Barbie, au comble du bonheur !

– Ho, ho ! Ne t'emballe pas trop vite. Je ne te parle pas d'un rôle, mais d'une audition. N'en espère quand même pas trop… De plus, il faut que je te rencontre, que je te voie… Pour me rendre compte du genre de rôle que tu peux interpréter. On se rencontre au Sam's jeudi soir ?

– Certainement.

– Parfait. Écoute, on m'appelle sur une autre ligne. On continuera cette conversation demain, d'accord ?

– D'accord.

– Alors, à demain.

– À demain, répéta Barbie en raccrochant.

Elle s'étendit sur son lit, des étoiles plein la tête, puis se pinça : n'était-ce qu'un rêve ?

Après le dîner, Barbie gagna sa chambre afin de travailler à sa composition. Elle n'arriva pas tout de suite à se concentrer : elle ne pouvait s'empêcher de penser à la boîte de peinture de Lara. Peut-être qu'en définitive, celle-ci avait raison, qu'elle était trop naïve ? Pour chasser ces tristes pensées, elle alluma son système de son.

Elle se mit à relire ses notes sur Chelsie. Transportée par la musique, un déclic se fit dans sa tête, et les mots arrivèrent soudain très facilement :

Chelsie Peterson a quinze ans. Elle nous arrive de Londres dans le cadre d'un échange de lycéens. Sa personnalité est très intéressante, car elle a plein de facettes différentes, toutes surprenantes et merveilleuses. Elle adore les animaux, écrit des poèmes et des chansons et excelle à la guitare. Elle connaît également très bien les relations internationales, vu que son père est un diplomate anglais. Il travaille ici, à New York, mais il lui arrive fréquemment de voyager aux quatre coins du monde.

Chelsie est fière de ce que fait son père parce que, dit-elle, «il contribue à supprimer les famines et à apporter la paix dans le monde». Elle aimerait beaucoup faire comme lui, mais à sa manière, par la littérature et la musique.

Pour cela, Chelsie est bien partie. Une de ses chansons a déjà été primée «meilleure chanson pour la catégorie jeunes espoirs» en Angleterre l'année dernière. Une des plus grandes qualités de Chelsie est sa modestie.

Barbie était fière de ce qu'elle avait écrit, d'autant qu'elle avait respecté la consigne des deux cents mots. Elle rappela Chelsie et elles se lurent leurs compositions. Chelsie était très impressionnée, mais elle insista pour que Barbie supprime le passage sur sa récompense. Barbie tenait à le laisser et elle finit par convaincre son amie. La composition de Chelsie était elle aussi excellente et très vivante.

Après avoir raccroché, Barbie, rêveuse, admira par la fenêtre les lumières de New York. Maintenant, elle avait deux nouvelles amies. Son cœur se serra brusquement et elle se demanda si elle pourrait garder l'amitié de Lara après l'incident survenu avec la jeune Australienne.

Chapitre 7

Procédons par élimination

Le lendemain, c'était la première journée de cours complète. Barbie partit plus tôt, car elle voulait se procurer la liste des élèves étrangers avant le début des cours. Peut-être arriverait-elle ainsi à retrouver la mystérieuse Australienne.

Quand Barbie arriva, il n'y avait que très peu d'élèves devant les portes en verre de l'école. Barbie frappa à la vitre jusqu'à ce qu'un petit homme apparaisse. Il portait une chemise en jean sous sa salopette gris anthracite et de grosses chaussures de travail caramel. Sur sa salopette, on pouvait lire son nom, BORIS PUGACHEV, en grandes lettres rouges. Cousue en lettres plus petites de la même couleur, figurait sa fonction : GARDIEN CHEF. Monsieur Pugachev était en fait le concierge.

— C'est pour quoi ? demanda l'homme à travers la porte avec un fort accent que Barbie ne put pas identifier. Russe ? Allemand, peut-être ?

— Bonjour! Je suis désolée de vous déranger mais est-ce que je peux entrer? demanda aimablement Barbie.

— Il est trop tôt, jeune fille.

— Je vous en supplie, implora Barbie. Je dois absolument aller au secrétariat.

Le concierge entrouvrit la porte.

— Vous êtes bien tous pareils, vous les Américains, grommela-t-il. Toujours courir, courir, courir. Vous ne pouvez vraiment pas remettre ça à plus tard?

Barbie secoua la tête avec véhémence.

— Mon horaire est bien trop serré! Je n'ai aucun moment libre. Si je ne peux pas le faire ce matin, il faudra que je saute le déjeuner ou que je revienne après l'école.

— Sauter le déjeuner à votre âge est une très mauvaise idée, dit monsieur Pugachev d'un ton réprobateur. C'est une urgence?

— Pas vraiment, admit Barbie. C'est parce que j'essaie d'aider quelqu'un.

— Une de vos amies?

— Oui.

— C'est très bien de vouloir aider cette amie, ma petite demoiselle, mais il est vraiment trop tôt et...

— S'il vous plaît! répéta-t-elle.

— Bon, bon, c'est d'accord, dit-il. C'est bon... pour une fois!

Et il laissa Barbie entrer.

Une fois à l'intérieur, Barbie se précipita au secrétariat. Rubia Santana, la secrétaire de madame Simmons, l'informa qu'une liste complète des élèves de la M.I.H.S. était disponible à la bibliothèque.

Barbie se souvint des remarques faites la veille au cours de monsieur Toussaint à propos de l'équipement, aussi décida-t-elle d'emprunter l'escalier jusqu'au troisième étage, où se trouvait la bibliothèque. À nouveau, elle eut de la chance. Les élèves figuraient sur la liste par ordre alphabétique, bien sûr, mais une colonne séparée indiquait la nationalité et le professeur responsable de chaque élève. Notre héroïne identifia trois élèves australiens : Tori Burns, Glenda Eastwick et Bradley Whilshire. Elle pouvait d'emblée éliminer le troisième prénom qui était celui d'un garçon. Il ne restait donc que deux possibilités : Tori et Glenda. Barbie sourit. La chance semblait de son côté. Retrouver l'énigmatique Australienne lui apparaissait nettement plus facile qu'elle ne l'aurait imaginé.

DRRRRRINNNG ! La sonnerie du matin retentit et les portes de l'école s'ouvrirent. Barbie nota à la hâte les précieuses informations qu'elle venait de recueillir et gagna l'escalier. Là encore, elle remercia sa bonne étoile, car le cours qu'elle avait en première heure n'était donné qu'un étage plus haut. Elle se sentait complètement épuisée par sa course folle jusqu'à la bibliothèque.

Devant la classe, elle entendit une voix qui l'appelait.

— Hé! Barbie!

Elle regarda dans la direction de la voix et reconnut Chelsie qui s'approchait.

— Bonjour, Chelsie! Tu as cours ici, j'espère?

— Désolée, non. J'ai français dans le hall.

Elle désigna le local d'un signe de tête.

— Et toi, tu as quoi?

Barbie fit la grimace.

— Histoire, malheureusement!

— Cela ne doit pas être si mal, répliqua l'Anglaise.

— Pour toi, peut-être! Moi, je déteste définitivement cette matière. Je ne parviendrai jamais à trouver normal que des hommes se fassent la guerre depuis des siècles! Je ne vois vraiment pas pourquoi tout le monde ne pourrait pas s'entendre.

— Là-dessus, nous sommes bien d'accord, remarqua Chelsie. Mais mon père dit toujours que pour aider les gens à faire la paix, il faut comprendre pourquoi ils ont commencé la guerre.

— Je suppose que tu as raison.

Chelsie se dirigera vers le hall, serrant un

cartable contre sa poitrine.

— Si tu as besoin d'aide en histoire, nous pouvons toujours étudier ensemble.

— Merci, Chelsie, dit Barbie. C'est vraiment gentil à toi.

— Au fait, ajouta Chelsie, j'ai beaucoup aimé ce que tu as écrit sur moi pour le cours d'anglais. J'espère seulement que la moitié de tout cela est vrai !

— Et vice versa, dit Barbie en riant.

Chelsie fit un signe de la main.

— Rendez-vous au cours d'anglais !

— À tout à l'heure.

La matinée se passa plutôt agréablement pour Barbie. Le cours d'histoire apparut moins ennuyeux que ce qu'elle avait imaginé. Le professeur, monsieur Budge, quoiqu'un peu bizarre, semblait très compétent. Il parlait d'un ton monocorde, traçait de grandes flèches un peu étranges sur le tableau entre les dates et les noms. Le problème était qu'il n'effaçait jamais rien. Aussi, il ne fallut pas attendre très longtemps pour que tout ce qu'il avait écrit disparaisse sous un fouillis de lignes et de mots. Lorsque Barbie relut ses notes, elle constata qu'elles n'étaient pas beaucoup plus claires.

À la deuxième heure, au cours d'anglais, monsieur Toussaint ramassa toutes les compositions, les mélangea et les redistribua. Puis il demanda à chaque élève de lire une composition à voix haute, sans citer le nom réel de la fille ou du garçon qui y était décrit. Ensuite, il demanda à la classe d'essayer de deviner de qui il s'agissait. C'était particulièrement difficile parce que personne ne connaissait vraiment bien les autres. Comme la veille, le cours fut rempli de surprises et d'éclats de rire.

Barbie aimait la façon dont monsieur Toussaint enseignait. À la sonnerie, il rappela à ses élèves que c'était la semaine prochaine qu'on déciderait de la composition de l'équipe du journal de l'école. Barbie décida d'essayer d'en faire partie.

Dans le couloir, Barbie et Chelsie discutèrent de leurs chances d'intégrer le comité de rédaction du journal.

— Tu as probablement une meilleure chance que moi de faire partie de l'équipe, dit l'Anglaise avec un sourire.

— Tu veux dire que tu es partante, toi aussi? C'est cool!

— Les grands esprits se rencontrent! répondit Chelsie en riant.

Barbie eut une idée.

— Ce qui serait formidable, ce serait que nous le fassions toutes les deux. Nous ferions une sacrée paire de reporters, non?

— C'est juste, dit Chelsie. Les championnes de la liberté de parole. Tu sais, «écrire, c'est être honnête»...

— ... « C'est dire la vérité », termina Barbie. Oui, je sais. Cette phrase est imprimée dans mon cerveau.

Les deux filles traversèrent ensemble le hall en riant. Elles se séparèrent ensuite près de l'ascenseur.

Tandis que la journée passait lentement, Barbie était de plus en plus déçue de ne pas encore avoir rencontré Lara. La jeune Européenne, qui avait choisi beaucoup de matières difficiles, semblait n'avoir assisté à aucun cours aujourd'hui. Heureusement, Barbie était avec Chelsie aux cours d'anglais et de maths; avec Lara au cours de biologie; et Chelsie, Nichelle et Lara partageaient avec elle une table pendant le déjeuner.

Elle appréciait toutes ces filles, particulièrement parce qu'elles étaient toutes trois très différentes. Chelsie, la poétesse, était douce et timide. Lara était plutôt sérieuse, sans chichis ni sophistication. Mais on devinait qu'elle pouvait se donner vraiment à fond quand elle pratiquait l'athlétisme et qu'elle avait une âme de gagnante, très perfectionniste. À l'opposé, Nichelle était très intelligente et très gaie, d'un contact facile. Elle apparaissait très détendue et peut-être même superficielle. Mais un seul déjeuner commun suffit à Barbie pour avoir la nette impression que Nichelle était une fille qui réfléchissait beaucoup, au contraire, et qui s'intéressait à des tas de choses. Barbie ne fut donc pas du tout surprise de découvrir que Nichelle était aussi un jeune mannequin à succès.

À la septième heure de cours, la dernière, Barbie avait perdu tout espoir de revoir Lara. C'était le cours d'éducation physique, et Lara n'était pas là. La professeure était une femme menue, avec de petits yeux et des cheveux noirs et crépus. Sa voix était si faible et si aiguë qu'elle aurait dû utiliser un porte-voix pour se faire entendre au-dessus du brouhaha qui régnait dans la salle de gym.

— S'il vous plaît, veuillez lever la main et répondre à votre nom quand je vous appelle, demanda la professeure de gym.

Madame Krieger parlait d'une voix monotone.

— Rosalia Diaz.

— Ici.

— Celeste Drury.

— Présente.

— Glenda Eastwick.

— Hello!

Glenda Eastwick? Ce nom! Cet accent! Était-ce elle, l'Australienne? Barbie regarda en direction de la voix qu'elle avait entendue. Une grande fille rousse, un peu maigre, des taches de rousseur comme s'il en pleuvait et un appareil dentaire dans la bouche, avait levé la main. Voyant que Barbie l'observait, elle lui adressa un petit sourire.

«Zut!» pensa Barbie, consternée, tout en répondant au sourire de Glenda.

Ce n'était pas la fille qu'elle cherchait. Mais cela voulait dire que son Australienne devait forcément être Tori Burns et personne d'autre dans cette école!

Chapitre 8

Quand le chocolat fait croc !

— Barbie, si tu ne te dépêches pas, tu seras en retard, et Selma n'aime pas attendre trop longtemps.

Aussi rapide qu'une tornade blonde, Barbie saisit et enfila une paire de chaussures en cuir noir, assorties à son pantalon, noir lui aussi. Elle compléta le tout d'un petit tricot rose clair à manches courtes.

— Ça y est, je suis prête.

Le Sam's venait juste d'ouvrir quand ils arrivèrent pour souper, mais il y avait déjà beaucoup de clients, qui prenaient un verre au bar ou décortiquaient le menu. Harry, le maître d'hôtel, accueillit Terri chaleureusement, puis il se tourna vers Barbie.

— Bonsoir, mademoiselle Roberts, dit-il. La

personne avec laquelle vous avez rendez-vous vous attend dans la salle du fond avec monsieur Jenner.

Barbie suivit Terri tandis qu'elle se frayait un passage dans le restaurant jusqu'à une table bien tranquille, tout au fond.

Là, assise aux côtés de Sam dans un somptueux fauteuil de velours, se tenait une femme bien en chair avec de longs cheveux blond vénitien chargés de laque. Elle avait des yeux gris et perçants et de longs cils maquillés en couche épaisse. Elle ressemblait à une vitrine de bijoutier. De lourdes boucles brillantes pendaient à ses oreilles. Des bracelets d'argent cliquetaient à ses poignets. Une broche parsemée de diamants scintillait sur son chemisier. Selma donnait à Barbie l'impression d'une personne qui ne laissait rien au hasard. Son sac à main de cuir, déposé à ses pieds, était aussi volumineux qu'un sac postal et aussi bourré de papiers. Trois téléphones portables, deux stylos et un agenda plein à craquer étaient posés à portée de main sur la table. Quand Terri et Barbie s'approchèrent, elle était penchée sur le menu avec Sam, avec, en bouche, une sucette en forme de sifflet.

Sam se leva et embrassa tendrement Terri. Ensuite, il posa un baiser très paternel sur la joue de Barbie en disant :

— Bonsoir, ma puce. Je suis très content de te

recevoir ici à nouveau. Tu es très jolie, ce soir.

Selma ôta vivement la sucette de sa bouche avec un bruit de succion.

— Sam, le réprimanda-t-elle, tu n'es qu'un vilain menteur.

Elle éclata de rire.

— Elle n'est pas jolie. Elle est belle.

— Oh! Je vais corriger cela! dit Sam en riant. Selma, puis-je te présenter la très belle Barbie Roberts? Et Barbie, j'ai l'honneur et la joie de te présenter la seule et l'unique Selma Devine.

Barbie rougit, puis adressa un sourire poli à l'amie de Sam.

— Bonsoir, Selma! dit-elle en lui tendant la main. Je suis très heureuse de vous rencontrer en personne. Sam m'a tellement parlé de vous.

— Je suis enchantée, moi aussi, dit l'agente.

Sam resta en leur compagnie juste le temps de leur suggérer quelques spécialités pour le dîner. Puis, il les laissa pour s'occuper d'autres clients. Terri et Selma discutèrent pendant un moment comme de vieilles connaissances. Terri tâchait d'intégrer progressivement Barbie à la conversation pour la mettre un peu moins mal à l'aise.

Barbie lui était reconnaissante de son geste. Terri était toujours aussi gentille et attentionnée avec elle.

Quand les entrées arrivèrent, Terri dit :

— Je vais vous laisser toutes les deux seules pour manger et parler affaires. Je vais rejoindre et importuner le maître de ces lieux, mais je serai de retour pour le dessert. Je ne veux pas manquer ça !

Après que Terri les eut laissées, Selma déposa le bâtonnet de sa sucette dans un cendrier. Puis elle plongea dans son gigantesque sac à main et prit une nouvelle sucette en forme de sifflet.

— Tiens. Prends-en une. C'est mon seul vice : je ne bois pas, je ne me drogue pas et je ne fume plus. Je me les fais livrer directement de Suisse par avion.

Elle gloussa, une lueur de gourmandise dans les yeux.

— Ils appellent cela les sifflets suisses. Ils peuvent vraiment siffler, tu sais.

Barbie remercia chaleureusement l'agente avec un grand sourire et prit la friandise qu'elle lui tendait.

— Je vais la garder pour plus tard, dit-elle.

— C'est une bonne idée, dit Selma. Ces petites choses m'aident à ne plus fumer. C'est pour cela que j'en ai toujours avec moi.

— Je suis très contente que vous ayez arrêté de fumer, répondit Barbie. C'est une horrible habitude. Je me suis promise de ne jamais commencer.

– C'est une très sage décision !

Barbie et Selma expédièrent leur entrée, deux délicieux bols de soupe de melon à la menthe. Quand le serveur leur apporta le plat principal, du caneton à l'orange, Selma se pencha et tira de son sac une épaisse chemise.

– Voici la proposition, dit-elle. Tu la lis, et ensuite tu me dis si ça t'intéresse, d'accord ?

Barbie sentit son cœur battre un peu plus vite. Elle acquiesça.

– D'accord.

– Tu sais, la plupart de mes clients sont des acteurs chevronnés, qui ont déjà beaucoup travaillé pour le cinéma ou la télévision. Mais aujourd'hui, les producteurs sont à la recherche de nouveaux visages, plus jeunes. Donc, si je veux rester compétitive, il me faut trouver des gens comme ça. Tu comprends ?

– Oui.

– J'ai le pressentiment – mais ce n'est peut-être qu'une intuition ! – qu'avec un peu d'entraînement et d'expérience, tu pourras être l'un de ces visages.

– Vous êtes sérieuse ? Vous pensez vraiment que j'ai une chance ?

– Je le pense, répliqua Selma. Mais la chance n'est bonne que si on sait la saisir au vol. Tu ne dois pas espérer commencer directement au sommet. Je t'ai déjà dit que le cheminement était long et difficile. L'essentiel est de se mettre bien d'accord : voulons-nous travailler ensemble ?

— Oui ! dit Barbie, en renversant presque son verre d'eau tant elle était émue. Je serais vraiment contente de vous avoir comme agente.

— Alors, marché conclu.

Elle tendit la chemise à Barbie.

— Dedans, tu trouveras le script d'une publicité. Tu as entendu parler des Chocochocs ?

— *Chocochoc, le chocolat qui fait croc !* répliqua Barbie, récitant le slogan du spot télévisé.

— C'est exactement ça. Le producteur de cette publicité s'appelle Lee Quigley. Il réalise aussi beaucoup de séries télévisées et des longs métrages aussi. As-tu vu *La Fièvre du jeudi soir, Le Cri dans la pluie* ou *La Croisière des extraterrestres* ? De grands films. Eh bien, c'était Quigley. Tu vois, commencer par une simple pub avec lui, cela peut te mener très loin. C'est pourquoi je veux que tu étudies ce script comme si c'était du Shakespeare.

— C'est un rôle parlant ? interrogea Barbie, interloquée.

— Et comment ! C'est le rôle de Choco Girl. Quigley m'a dit qu'il voulait une jeune fille blonde, saine et jolie. Tout à fait toi. L'audition a lieu samedi prochain.

— Mais c'est dans huit jours seulement!

— Je reconnais que c'est un peu court! D'autant plus que tu ne peux pas laisser tomber ton travail scolaire. Mais si tu veux vraiment être actrice, tu dois apprendre à travailler rapidement et sous pression.

Barbie regarda Selma droit dans les yeux.

— Je peux le faire. Je sais que je peux être à la hauteur.

— C'est exactement ce que je voulais entendre, dit Selma, radieuse. De plus, ce travail n'est pas trop mal payé. Si tu l'obtiens, c'est de l'argent que tu pourras mettre de côté pour tes études. Et bien sûr, un peu d'argent pour moi.

Selma prit un morceau de son caneton.

— Mmm! C'est excellent.

Elle fit signe à Barbie de commencer son repas.

— Laisser refroidir un tel délice ne peut en aucun cas faire partie de notre accord.

— Je ne pensais pas décrocher aussi vite une audition, avoua Barbie.

— Écoute, je veux t'aider du mieux que je peux. Et rappelle-toi toujours que, même si tu n'es pas prise pour le rôle, l'expérience te sera précieuse.

Elle adressa un clin d'œil complice à Barbie.

— Maintenant, mangeons. Si je t'empêche de goûter sa bonne cuisine, Sam va me mettre à la porte! Et il aurait raison, poursuivit Selma en riant.

Barbie fit un large sourire et continua à déguster son repas. Selma avait une forte personnalité, exactement comme Sam l'avait dit. Mais Barbie aimait déjà sa manière d'être. Malgré son côté rugueux au premier abord, elle avait un cœur d'or. Elle était un peu comme une marraine de conte de fées qui était apparue tout d'un coup dans la vie de Barbie. Elle avait brandi sa baguette magique au-dessus de sa tête en lui demandant de faire un vœu. Cela ressemblait de plus en plus à un joli rêve, mais pourtant, ce conte de fées était bien réel !

Quand Terri les rejoignit pour le dessert, Sam vint aussi s'asseoir à leur table. Alors Selma plongea dans son grand sac magique et en sortit un album de photos. Et tous les quatre s'amusèrent beaucoup en regardant des photos de Terri, Sam et Selma quand ils étaient plus jeunes.

Chapitre 9

L'histoire de Tori

Pendant que monsieur Toussaint rendait les compositions d'anglais, Chelsie lança en silence un petit mot sur le banc de Barbie. Voici ce qu'il disait :

Mes plus sincères félicitations pour ton audition. Je suis sûre que tu vas être la meilleure ! N'aie pas peur, tu vas tous les épater ! Je suis très excitée pour toi. J'ai un peu de mal à réaliser qu'une de mes meilleures amies va passer à la télévision. Je croise les doigts…

Barbie rougit légèrement et esquissa un sourire. À peine rentrée à la maison la veille au soir, elle avait appelé tous les gens qu'elle aimait pour leur annoncer la merveilleuse nouvelle. Ses sœurs en Californie. Puis ses nouvelles amies à New York. Elle avait même envoyé un long *courriel* à ses parents en Chine. Mais maintenant, elle se sentait un peu honteuse d'avoir eu une réaction aussi excessive. Après tout, elle avait simplement décroché une audition, elle n'avait pas encore le rôle !

De toutes ses amies de l'école, c'est avec Chelsie qu'elle avait parlé le plus longuement, plus d'une heure certainement. Elle avait aussi bavardé avec Nichelle et Ana. Toutes s'étaient dites très contentes pour elle. La seule copine de classe qu'elle n'avait pas réussi à joindre était Lara.

Barbie eut un soupir chargé de regrets à cette pensée.

Soudain, une idée traversa son esprit.

— Dis-moi, Chelsie, est-ce que, par hasard, tu connaîtrais une fille qui s'appelle Tori, Tori Burns ?

— J'entends quelqu'un qui bavarde en classe ! gronda monsieur Toussaint. Soit vous vous taisez, soit vous racontez cette histoire à toute la classe.

Chelsie regarda Barbie et inclina la tête silencieusement. Puis elle forma avec la bouche les mots « plus tard ».

Le cours se passa rapidement. Après avoir rendu les compositions (Chelsie obtint un A, Barbie un A-), le professeur distribua les photocopies d'une histoire à suspense.

— Lisez cette histoire, dit-il. J'en ai volontairement enlevé la dernière page. C'est donc vous qui écrirez la fin. Lundi prochain, je vous montrerai ce que l'auteur a réellement écrit.

Il fit une pause.

— Pendant que j'y pense, la première réunion pour mettre l'équipe du journal en place aura lieu lundi, au local 712. La directrice m'a autorisé à créer un site Internet, en liaison avec le journal. Si vous êtes intéressés, je vous attends lundi.

Après le cours, Barbie accompagna Chelsie jusqu'à sa classe d'histoire.

— Alors, Tori Burns, cela te dit quelque chose?

— Une Australienne? Blonde, avec des tresses? Qui promène ses patins partout avec elle?

— C'est elle.

— Elle est avec moi au cours de biologie en dernière heure.

— Extra! Où ce cours est-il donné?

— Troisième étage. Local 329.

Barbie se répéta mentalement le numéro du local, afin de s'en souvenir.

— Chelsie, est-ce que tu accepterais de me rendre un petit service? demanda-t-elle.

— Bien sûr.

— Est-ce que tu pourrais lui dire que la fille qu'elle a aidée dans le métro veut la voir?

Chelsie la dévisagea, un brin moqueuse.

— C'est tout ce que je dois lui dire? ironisa-t-elle.

— Pas tout à fait. Demande-lui aussi de m'attendre après le cours de bio. C'est vraiment très important.

— Bon, c'est d'accord, répondit Chelsie un peu perplexe.

Après la septième heure, Barbie monta d'une seule traite les trois étages jusqu'au local 329. Elle y trouva Chelsie, l'attendant tranquillement appuyée au mur ; elle était parfaitement seule.

— Salut, Chelsie ! dit-elle en haletant. Alors, Tori est-elle là ?

Elle regarda dans le couloir, puis dans la classe de biologie, qui était désespérément vide.

Chelsie secoua la tête pour dire non.

— Elle est partie il y a deux minutes. Elle avait un cours d'escalade à trois heures et demie.

— Oh non ! Elle a dit quelque chose d'autre ?

— Qu'elle se souvenait très bien de toi et qu'elle te transmettait son bonjour. Et aussi que si ce que tu avais à lui dire était vraiment urgent, tu pouvais la rejoindre à son cours.

— T'a-t-elle dit où il se donnait ?

— C'est facile. C'est au Chelsea Piers. Comme mon nom, mais ça s'écrit différemment, ajouta-t-elle avec un petit air amusé.

— Génial ! Tu es vraiment la meilleure, Chelsie ! s'écria Barbie.

Elle se retourna vivement et se précipita dans le hall en courant.

— Je suis désolée, mais il faut absolument que j'y aille. Je t'appelle ce soir, cria-t-elle.

— Salut! cria Chelsie en faisant signe de la main.

Elle n'y comprenait plus rien.

Barbie sauta dans un taxi qui l'emmena à l'énorme complexe sportif connu sous le nom de Chelsea Piers. Cet immense terrain de jeu donnait sur l'Hudson. Quel que soit le sport que vous pratiquiez — du plus simple au plus extrême —, le Chelsea Piers avait quelque chose à vous proposer.

Barbie consulta la liste des activités et repéra le cours d'escalade de Tori. Quand elle pénétra dans la salle, la jeune Australienne, soigneuse-ment harnachée, escaladait méthodiquement un mur vertigineux qui devait avoir plus de dix mètres de haut. Tori évoluait d'un pied étonnamment sûr et tout en force. Elle ne semblait jamais hésiter ou avoir peur. Pas une seule fois, elle ne jeta un regard vers le bas. C'était d'autant plus remarquable qu'elle avait au genou gauche un énorme bleu qui devait être fort douloureux.

Quand elle atteignit le sommet, elle l'agrippa d'une main et, au comble du bonheur, lança l'autre main en l'air en criant :

— Bingo! J'y suis!

Soudain, elle aperçut Barbie.

— Eh! Tu m'as trouvée ici, s'exclama-t-elle d'en haut. Je suis vraiment très contente de te revoir.

J'arrive dans une seconde.

Tori redescendit le mur d'escalade, ôta son harnais, remercia l'instructeur et rejoignit Barbie en boitant légèrement.

— Waow! Tu es une fameuse alpiniste! siffla Barbie, admirative. Tu fais cela souvent?

— Chaque fois que je le peux, répondit Tori en s'épongeant le front avec une serviette. J'adore ça! Presque autant que le patin!

Elle se passa la serviette autour du cou.

— Chelsie m'a dit que tu t'appelais Barbie. C'est cela?

— Exact! Et toi, tu t'appelles Tori.

— C'est moi!

Barbie sourit avec embarras.

— Tu ne trouves pas un peu bizarre de se présenter plusieurs jours après s'être rencontrées?

— De toute façon, les noms sont stupides, dit Tori. On n'a pas besoin de connaître le nom de quelqu'un pour savoir qui il est.

— C'est ce que je pense aussi.

— Par exemple, j'ai tout de suite remarqué ton courage et ta gentillesse quand je t'ai vue prendre la défense de ce vieux monsieur, expliqua Tori.

— Merci mais, tu sais, je ne serais arrivée à rien si tu n'étais venue à la rescousse.

— Oh, tu sais, j'ai vraiment horreur des gens grossiers!

Tori grimaça alors de douleur.

— Si tu veux bien, accompagne-moi. J'ai besoin de m'asseoir.

Tori et Barbie trouvèrent un banc près des vestiaires. Tori étira sa jambe blessée et poussa un soupir.

— Alors, pourquoi tenais-tu tant à me rencontrer ? demanda-t-elle à Barbie.

Barbie prit une profonde inspiration et commença à raconter à Tori l'histoire de la boîte de peinture. Quand elle expliqua que Lara la soupçonnait d'avoir volé son précieux coffret, le visage de Tori rougit d'un seul coup.

— Attends une minute, dit Tori très en colère. C'est complètement dingue ! Je n'ai pas volé cette boîte de peinture. C'est moi qui l'ai ramenée !

— Comment ? s'écria Barbie, déconcertée.

— Tu as bien entendu. C'est moi qui ai sauvé cette boîte, et je me suis presque cassé la jambe en le faisant !

Elle frotta le bleu impressionnant qu'elle avait juste sous le genou.

Les yeux de Barbie s'agrandirent.

— Comment cela s'est-il exactement passé ?

— Voilà : j'étais sur mes patins devant l'école et j'ai vu ton amie qui déposait sa boîte sous la sculpture et qui rentrait à l'intérieur. C'était vraiment une chose à ne pas faire. Là-dessus, j'ai décidé qu'il valait mieux la surveiller à distance. Cela n'a pas raté! Un type d'une vingtaine d'années environ s'est approché sur ses patins, s'est arrêté et a saisi le coffret. Il n'y avait personne dans les environs, à part lui et moi. Quand il s'est enfui, je me suis immédiatement lancée à sa poursuite. Quand il m'a remarquée, il a jeté la boîte derrière lui. Je l'ai ramassée et j'ai continué à le poursuivre.

— Et c'est à ce moment-là que Lara t'a vue, je suppose.

— Certainement. Mais elle n'a vu que la moitié de la scène!

— J'étais sûre qu'il y avait une explication rationnelle à tout ça! Tu as réussi à le rattraper?

— Non, il m'a échappé. Il y avait une bosse et j'ai fait tout une chute. J'étais tellement furieuse. En plus, il m'a presque fallu une heure pour rejoindre l'école!

— Et la boîte? interrogea Barbie.

— Tu veux dire qu'elle ne l'a pas encore récupérée?

Le visage de Tori exprimait une vive surprise.

— Je n'en sais rien, c'est possible. Je ne l'ai plus vue depuis, confia Barbie.

Et un éclair de tristesse passa dans son regard.

— J'ai donné la boîte à Poogy, continua Tori.

— Poogy?

— Monsieur Pugachev, le concierge, expliqua Tori. Je la lui ai confiée pour qu'il la mette aux objets trouvés. À l'heure qu'il est, Lara l'a certainement récupérée.

Le visage de Barbie se fendit d'un large sourire.

— Tori, tu ne peux pas savoir comme cela me fait plaisir.

— À moi aussi, tu sais, répliqua Tori. Je ne réalise pas encore tout à fait que j'ai failli me retrouver au commissariat! Merci d'avoir eu confiance en moi.

Barbie se mit à rire.

— J'ai tout de suite su que ça ne pouvait pas être toi!

Chapitre 10

Le crime de la classe 712 (ou presque)!

Durant tout le week-end, Barbie travailla sur le scénario de la publicité des biscuits Chocochoc. Elle demanda à Terri de lui faire réciter le texte et à Sam de la tester. Elle appela Selma et lui joua son rôle au téléphone. Elle enregistra six heures de programmes pour enfants afin de pouvoir visionner le plus grand nombre possible de messages publicitaires de biscuits.

Le samedi, elle quitta l'appartement et revint avec un sac plein de paquets de biscuits au chocolat, de toutes les marques qu'elle avait pu trouver. Elle se banda les yeux et demanda à Terri de lui en donner au hasard, jusqu'à ce qu'elle puisse reconnaître les Chocochocs à l'odeur ou au goût.

— Selma m'a expliqué qu'on ne pouvait

interpréter un rôle parfaitement que s'il faisait partie de votre personnalité. Je veux que, pour samedi, ces biscuits fassent partie intégrante de ma personnalité!

— Ma chérie, demanda Sam, tu es vraiment sûre que tu n'en fais pas un peu trop?

L'adolescente cassait les biscuits en deux et écoutait attentivement le bruit qu'ils faisaient.

— Pas du tout! répondit-elle. C'est très important. Dans le script, Choco Girl doit montrer le «croustillant incroyable» des biscuits.

— Je m'en souviens très bien, tu m'as fait lire le script, tu sais.

— Alors, quand elle apprend qu'un garçon prétend que les biscuits de la marque X sont meilleurs, elle le provoque en duel pour savoir lequel des biscuits est le plus croustillant.

— Exact. Je me souviens de cela aussi.

— Elle prend un morceau de Chocochoc et son «croustillant extrême» l'emporte haut la main.

— Et alors?

— Alors, je dois pouvoir reproduire ce bruit.

— D'accord, dit Sam avec un petit rire. Tu fais exactement ce que tu dois faire. Exerce-toi tant que tu voudras. Seulement, ne néglige pas ton travail scolaire.

Avant d'aller se coucher, Barbie téléphona à Lara, mais il n'y avait encore personne. Aussi se résigna-t-elle à attendre le lendemain pour lui annoncer la bonne nouvelle à propos de sa boîte de peinture.

Dans l'ensemble, cette semaine avait vraiment été une semaine magique, pensa-t-elle en se blottissant dans ses draps. Que pouvait-elle souhaiter de plus ? Elle le savait. Elle ferma les yeux et à mi-voix formula ces deux vœux : revoir Lara et que l'audition se passe bien !

Le lundi, en troisième heure de cours, Barbie et Lara étaient assises dans le laboratoire de biologie avec un œil de bœuf qui les fixait depuis un plateau. Tout à coup, les haut-parleurs grésillèrent.

— Attention, attention, appel à tous les élèves, aboya une voix. C'est le sous-directeur Merlin qui vous parle. Voici les avis de la matinée.

Il y eut une pause. Et puis, un énorme éternuement retentit.

— Ah... ah... ah... Tchâââ !

Monsieur Merlin se moucha, puis s'éclaircit la gorge.

— Veuillez m'excuser, dit-il. Ce n'était pas là un des avis de ce matin.

Il se moucha à nouveau et commença :

— Votre attention, s'il vous plaît. Pour tous ceux et celles qui sont intéressés par le chant, une réunion de la chorale aura lieu après les cours au local 111. L'équipe masculine de football tiendra sa première réunion sur le terrain à 15 h 30. Enfin, tous les étudiants intéressés par le journal de l'école ou par le site Internet sont conviés au local 712 après la septième heure de cours. Et pour conclure, je vous livre la pensée suivante : « Chaque jour est une page blanche dans le cahier de la vie. » Qu'allez-vous y écrire aujourd'hui ? C'était le sous-directeur Merlin. Bonne journée !

Les haut-parleurs crachotèrent encore un peu, puis ce fut le silence. Ana regarda l'œil bovin et frissonna.

— Je ne peux pas regarder cette horreur plus longtemps, déclara-t-elle avec une grimace de dégoût.

Quand monsieur Clayton dessina un schéma de l'œil au tableau, Ana recouvrit d'un mouchoir en papier le spécimen qu'elle avait devant elle.

— C'est beaucoup mieux !

Barbie donna un coup de coude dans les côtes de son amie.

— Enfin, Ana. Où est passé ton esprit scientifique ? Tu ne veux pas comprendre comment fonctionne un œil en réalité ?

— Si, mais avec un bon livre, ça suffira ! répliqua Ana. Au moins, un bouquin, ça ne vous file pas la chair de poule en vous regardant de travers.

Barbie éclata d'un rire clair.

— Au fait, Ana, dit-elle en changeant de sujet, tu as monsieur Toussaint aussi, non ?

— En première heure.

— Y a-t-il dans ta classe des personnes intéressées par le journal ?

Ana se gratta la tête.

— Je n'en sais rien. Vous avez aussi dû rédiger une interview comme devoir ?

— Oui.

— Eh bien, après qu'il nous l'eut rendue, il m'a retenue après la classe et m'a demandé si cela me plairait d'écrire les articles de sport.

— Vraiment ? Je suis jalouse ! Il a vraiment dû apprécier ta façon d'écrire.

— Non, dit Ana. Il ne m'a donné qu'un B-. Je suis sûre qu'il a agi ainsi parce qu'il pense que je peux écrire beaucoup mieux. Et il sait combien j'aime le sport, car il a lu ce qu'une autre a écrit sur moi. Il m'a dit qu'il était toujours préférable que le journaliste soit un expert dans ce qu'il écrit.

— Ce n'est pas idiot !

Barbie tapota de son stylo la table qu'elle partageait avec Ana.

— Tu nous rejoins ? Chelsie est intéressée et moi aussi.

— Peut-être, dit Ana.

— S'il te plaît, dit Barbie d'une voix enjôleuse. Ce sera amusant, tu vas voir. Chelsie, toi et moi.

– Et Nichelle, dit Ana.

– Nichelle? Je ne savais pas qu'elle était intéressée!

– Ça l'intéresse beaucoup! Elle veut tenir une rubrique sur la mode!

– Waow! C'est vrai qu'elle est faite pour ça.

Un sourire malicieux apparut sur le visage de Barbie. Elle ôta le mouchoir en papier qui couvrait l'œil de bœuf.

– Aaah! Qu'est-ce que tu fais? demanda Ana. Remets ça tout de suite!

– Seulement si tu viens avec nous à la réunion, Ana!

– Tu recouvriras ce plateau, alors?

– Promis!

– C'est d'accord, capitula Ana. J'irai à cette réunion.

À 15 h 30, une quinzaine d'élèves avaient pris place dans le local 712. Il n'avait qu'un petit tableau noir et pas de fenêtre; de plus, le local était encombré de matériel informatique. Certains élèves avaient réussi à trouver des chaises. Quelques-uns s'étaient assis sur le radiateur. Les autres, dont Barbie, Chelsie, Lara et Nichelle, s'assirent à même le sol, de même que Fletcher, du cours d'anglais, et Randall, le beau et talentueux dessinateur.

Quelques minutes plus tard, monsieur

Toussaint entra à son tour dans le local. Il ôta immédiatement sa veste et retroussa les manches de sa chemise. Puis il demanda à Fletcher d'aller chercher un ventilateur pour que personne n'étouffe.

— Désolé pour le local, dit-il. C'est le plus grand que j'aie pu obtenir. Mais vous vous y habituerez vite.

Monsieur Toussaint passa quelques minutes à expliquer en gros les objectifs du journal et du site Internet. Il expliqua que le but était de communiquer non seulement avec les élèves de l'école, mais aussi, grâce au site sur le Web, avec le monde entier. Comme il l'avait fait en classe, il rappela l'honnêteté que l'écriture requiert et la responsabilité particulière qu'ont les journalistes de respecter la vérité. Ensuite, il fit passer une feuille de papier qui reprenait les différentes tâches que les élèves devaient se répartir. Il demanda à chacun d'indiquer celles qu'il préférait.

Pendant que la feuille circulait, quelqu'un frappa à la porte.

— Entrez, cria monsieur Toussaint. Qui que vous soyez, soyez le bienvenu.

Entra alors une grande et jolie jeune fille, avec une grande tresse brun foncé qui lui descendait jusqu'au milieu du dos. Elle portait un cartable et un grand bloc à dessin.

— Lara! crièrent en chœur Barbie, Chelsie et Nichelle. Par ici! Par ici! appelèrent-elles en agitant leurs mains.

Elles se regardaient avec un mélange d'étonnement et de plaisir. Personne n'avait imaginé que Lara s'intéressait au journalisme.

— Merci de votre présence, mademoiselle Morelli-Strauss, dit monsieur Toussaint à Lara. Je suis très heureux que monsieur Harris vous ait convaincue de nous rejoindre. Il m'a parlé de vos talents d'artiste. Nous aurons vraiment besoin d'une bonne illustratrice.

Lara sourit et marcha d'un pas hésitant vers ses amies. Barbie était si heureuse de la revoir! Après s'être assise, Lara s'excusa précipitamment auprès de Barbie de ne pas l'avoir contactée plus tôt. Ses parents avaient décidé à l'improviste de l'emmener à Boston pour rencontrer un vieil ami à eux qui enseignait les arts à Harvard. Cet ami, qui dirigeait le comité d'admission à l'université, avait été fortement intéressé par les œuvres de Lara. C'était une opportunité qu'elle ne pouvait en aucun cas manquer.

— Je comprends, dit doucement Barbie.

Le reste de la réunion, monsieur Toussaint émit quelques idées de textes possibles et donna les délais pour la première édition. Il proposa aussi que le groupe cherche un nom pour le journal et pour le site Internet. Après une âpre discussion, chacun trouva que les noms proposés par Nichelle — *Generation Beat* et *Generation Beat Web* — étaient les meilleurs.

— Je pense que cela reflète bien ce que nous essayons de faire ici, commenta monsieur Toussaint. Cela correspond bien à l'école. C'est très intelligent, Nichelle.

— Superbe ! dit Barbie.

— J'adore ! s'écria Chelsie.

— Dans ce cas, c'est vendu ! proclama monsieur Toussaint.

La réunion touchait à sa fin. Tout à coup, on entendit un bruyant *clic-clac, clic-clac, clic-clac* dans le couloir. Le son devenait de plus en plus fort. La classe se faisait plus silencieuse au fur et à mesure que le bruit approchait et chacun essayait d'en deviner la nature.

Soudain, le bruit s'arrêta. La porte s'ouvrit violemment et dans l'embrasure se tenait Tori, perchée sur ses patins.

— Désolée d'être en retard, monsieur Toussaint ! Mon professeur de français voulait absolument me voir et...

Tori n'eut pas l'occasion de finir sa phrase car Lara se dressa sur ses pieds et pointa un doigt accusateur vers elle.

— C'est cette fille! C'est elle qui a volé ma boîte de peinture!

Monsieur Toussaint paraissait embarrassé. Tout le monde dans la pièce essayait de comprendre quelque chose, y compris Tori. Barbie, elle, savait qu'il y avait un terrible malentendu.

— Je crois que tu devrais te renseigner avant de parler, dit Tori, rouge de colère.

— Arrêtez, mesdemoiselles! dit monsieur Toussaint. Cela ressemble à une affaire privée. Peut-elle attendre que nous ayons fini notre réunion?

Lara et Tori acquiescèrent de la tête, tout en se regardant avec suspicion. Tori prit place dans le coin le plus éloigné possible de Lara.

La réunion continua pendant vingt autres minutes. Puis, alors qu'on allait bientôt y mettre un terme, quelqu'un frappa à la porte d'une manière hésitante.

— Entrez! jeta sèchement monsieur Toussaint, légèrement irrité par toutes ces interruptions.

C'était Poogy, le concierge. Il tenait à la main la boîte de peinture de Lara.

— Excusez-moi de vous interrompre, dit-il à monsieur Toussaint. Mais monsieur Harris m'a dit que je pourrais trouver ici Lara Morelli-Strauss. Assiste-t-elle à la réunion?

Lara se leva, assez déconcertée.

— Tori m'a donné cette boîte il y a quelques jours, dit Poogy à Lara. Je l'avais mise aux objets trouvés avant le week-end. Il y a votre nom dans le coin. J'ai pensé que vous l'aviez perdue et je l'ai mise de côté. C'est une très belle boîte, mais vous n'êtes pas venue la récupérer. J'en ai parlé à la directrice, madame Simmons, qui m'a demandé d'aller voir monsieur Harris. Et voilà.

Et il tendit la précieuse boîte à Lara.

— La voici saine et sauve.

Les yeux de Lara passaient du coffret à Tori, incrédules.

— Est-ce que je comprends bien? C'est toi qui l'as rapportée? Tu ne l'as donc pas volée? Pourtant, je t'ai vu t'enfuir en patins avec ma boîte!

À ce moment, monsieur Toussaint avait perdu tout espoir de continuer la réunion. Tous les élèves, y compris Poogy, avaient les yeux rivés sur les deux filles, tandis que Tori expliquait avec colère à Lara ce qui s'était passé.

— Après tout, cela ne valait peut-être pas la peine de faire tout cela, dit-elle en remontant son jean pour exhiber son bleu. J'aurais dû laisser le gars filer avec ta boîte!

Lara, d'ordinaire toujours calme, semblait troublée et gênée.

— Je crois que je me suis trompée sur ton compte, dit-elle. J'ai eu faux sur toute la ligne.

Mais peut-être que tu peux essayer de comprendre. Je tiens beaucoup à cette boîte. Et puis, je ne te connaissais pas alors quand je t'ai vue t'enfuir avec elle...

Tori réfléchit rapidement, elle commençait à se calmer.

— Je reconnais que tu n'as pas tout à fait tort, convint-elle enfin. Je peux comprendre. Je suppose que tu as cru que je te la fauchais. C'est une bonne chose qu'il y ait eu quelqu'un qui ait gardé confiance en moi.

Elle regarda en direction de Barbie.

Celle-ci était soulagée. Elle affichait un large sourire. Les choses allaient enfin rentrer dans l'ordre!

Tori tendit une main.

— Sans rancune, alors, Lara? demanda-t-elle.

Lara sourit chaleureusement et serra la main de Tori.

— Sans rancune. Et merci d'avoir sauvé ma boîte de peinture. Je n'aurais jamais dû la laisser sans surveillance.

Elle prit une de ses cartes postales dans le coffret et la tendit à Tori.

Tori la contempla.

— C'est superbe! dit-elle. C'est toi qui l'as faite?

– Oui, dit Lara. C'est pour te remercier car, sans toi, je ne l'aurais jamais revue!

Poogy s'éclaircit la gorge et se dirigea vers la sortie.

– Oh! Je suis désolée, dit Lara. J'ai oublié de vous remercier aussi d'être venu me rapporter ma boîte en personne. C'est vraiment gentil de votre part.

– Il n'y a pas de problème, dit Poogy, légèrement embarrassé par la perturbation qu'il avait causée. C'est mon boulot. Là-dessus, je retourne à ma chaudière.

Et il quitta rapidement la pièce.

– Allons! dit monsieur Toussaint. C'est bien la preuve qu'il ne faut pas toujours aller à Broadway pour voir une belle pièce de théâtre. Est-ce que ça va pour tout le monde, maintenant?

Tout le monde acquiesça.

– Très bien, dit monsieur Toussaint. Dans ce cas, je suggère que nous fassions une petite fête pour la naissance de *Generation Beat*.

– Et pour le retour de la boîte de Lara! ajouta Nichelle.

– Bien sûr! dit monsieur Toussaint. Est-ce que Eatz convient à tout le monde? La limonade et les pizzas sont pour moi.

Un cri de joie retentit dans la classe. Puis l'équipe des nouveaux journalistes de monsieur Toussaint au grand complet sortit pour fêter l'événement, à grand renfort de musique et de pizzas.

Chapitre 11

Choco Girl contre biscuit X-Boy

Plus la semaine avançait, plus Barbie se sentait nerveuse pour son audition. Heureusement, ses nouvelles amies faisaient tout ce qu'elles pouvaient pour l'aider. Lara et Tori étaient devenues amies, ce qui facilitait les choses pour travailler ensemble au journal.

Le mercredi soir, Selma organisa une répétition générale chez Sam et Terri. Tori et Lara s'occupèrent de dégager une partie du salon, tandis que Nichelle et Selma habillaient Barbie en Choco Girl. Ensuite, pendant que Terri et Sam disposaient des lampes pour rendre l'éclairage semi-professionnel, Selma faisait répéter à Barbie son texte avec Nichelle, qui jouait le rôle du garçon de la marque X. Lara filmait consciencieusement la scène avec la caméra de

Barbie. Puis tout le monde se rassembla devant la télévision. Selma repassa la séquence à la vidéo et chacun donna son avis sur la prestation de Barbie.

— Ma chérie, tu es vraiment superbe en gros plan, dit Selma à Barbie. Tu as très bien compris comment jouer avec les expressions de ton visage devant la caméra. Crois-moi, c'est là tout le secret de la télévision.

Même si elle était ravie de ce compliment, Barbie sentait que Selma n'avait pas tout dit.

— Mais ? dit-elle timidement.

— Mais même si Choco Girl est une super-héroïne, la vraie vedette de cette pub, c'est le biscuit. Tu dois jouer la scène comme si tu n'avais qu'un second rôle. Tu as compris ?

— Oui, affirma Barbie avec un hochement de tête.

— Bien, dit Selma. Alors, il n'y a plus de temps à perdre. Au boulot ! À vos places. Prêts ? Silence ! Moteur ! Action !

Samedi matin, Barbie se sentait fin prête pour l'audition Chocochoc. Elle n'avait pas beaucoup dormi la nuit précédente. Elle avait rêvé qu'elle se trouvait au cours de biologie avec Lara, mais qu'à la place d'un œil de bœuf, un biscuit au chocolat les dévisageait sur le plateau.

— Tu ne m'attraperas jamais vivant, Choco

Girl… criait le fameux Chocochoc en ricanant avant de sauter par la fenêtre du laboratoire.

Barbie s'était réveillée en sursaut.

L'audition avait lieu à 10 h au coin de Madison Avenue et de la 46e Rue.

Selma accueillit Barbie au studio et l'escorta jusqu'au plateau, où elle lui présenta le réalisateur. Lee Quigley avait plus ou moins cinquante ans, son visage était rond, ses bras velus et son ventre plutôt proéminent.

— Selma ! Tu es vraiment superbe aujourd'hui, dit-il d'une voix caressante. Alors, tu vas me présenter une nouvelle star ?

— Je crois, oui. Lee, voici Barbie Roberts, la jeune fille dont je t'ai parlé.

— Ah oui ! Enchanté de faire ta connaissance, Barbie, dit le réalisateur en lui serrant la main. Tu as lu le script ?

— Oui, monsieur.

— Parfait ! Maintenant, si tu veux bien, tu vas attendre dans le salon vert, là-bas, avec les autres candidates. Nos éclairagistes et nos maquilleuses vont s'occuper de toi.

Dans le salon vert se tenaient cinq autres jeunes filles, toutes plus grandes que Barbie, toutes blondes et toutes très belles. L'une d'entre elles était tranquillement installée dans un fauteuil, en train de contempler ses ongles. Elle ne semblait pas du tout anxieuse. Une autre ne regardait personne, plongée dans le script. Deux autres faisaient de laborieux efforts pour tenir une conversation, bavardant de sujets passe-partout, telles les meilleures boutiques de vêtements d'occasion. La dernière semblait trop tendue pour pouvoir articuler un seul mot. Barbie se mit à espérer pour elle qu'elle parvienne à se calmer avant de passer l'audition.

Après que les éclairagistes, maquilleuses et costumiers furent passés pour préparer les jeunes filles, l'assistant du réalisateur les appela une par une pour l'audition. Barbie passa la dernière.

— M...! souffla Selma au moment où elle quittait le salon vert.

C'était la manière traditionnelle d'encourager un acteur. Barbie sourit et lui fit un petit signe de la main.

Lee Quigley fit repasser deux fois la scène à Barbie. Il s'arrêta une première fois pendant la scène « croustillante » et fit reproduire à Barbie ce son une bonne demi-douzaine de fois. Du coup, Barbie fut bien contente d'avoir autant répété la scène.

Ensuite, le réalisateur lui demanda de se tenir de différentes manières et demanda aux cadreurs de prendre plusieurs gros plans de Barbie avec un énorme paquet de Chocochocs dans les bras.

— Très bien, dit-il quand le bout d'essai fut terminé. Tu es vraiment très naturelle.

Barbie fit un sourire radieux.

— Veux-tu bien regagner le salon vert? dit le réalisateur. Je dois consulter mes collègues.

Selma se tenait près de la porte du salon vert. Quand elle vit Barbie, elle lui adressa un geste de félicitations.

— Tu as été merveilleuse, ma puce! Il a passé plus de temps avec toi qu'avec les autres.

— Vraiment?

— Quel intérêt aurais-je à te mentir?

— Vous pensez que j'ai une chance d'être retenue?

— Selon moi, c'est cinquante-cinquante.

— Cela veut dire qu'il y a une autre finaliste?

— Exactement. Ils ont aussi apprécié une autre fille. Au début, elle semblait très nerveuse, mais elle s'est littéralement transformée.

— Ça alors! dit Barbie.

Selma ouvrit la porte du salon vert.

— Entre maintenant. Ils doivent délibérer.

À l'intérieur de la pièce se trouvait la jeune fille nerveuse. Barbie ne la regardait plus avec les mêmes yeux!

— J'ai entendu dire que tu avais été excellente, dit Barbie. (Elle tentait d'être aimable, mais elle ne pouvait s'empêcher de ressentir une pointe d'envie.)

— Merci. Mais je crois que tu as été très bonne aussi, sinon tu ne serais pas ici.

— C'est gentil, merci.

— C'est la première fois que tu passes une audition ? demanda l'autre fille.

Barbie acquiesça, puis ajouta :

— Du moins à New York.

— Je n'en ai pas passé beaucoup, dit l'autre fille. Je suis toujours terriblement angoissée avant. Puis, quand je commence à jouer, cette angoisse se dissipe. C'est bizarre, non ?

— Si. C'est étonnant parfois comme on peut faire des choses dont on se sentait incapable.

— C'est vrai, tu as raison.

Puis, mettant un terme à la tentative de conversation, la fille saisit un magazine de mode et commença à le feuilleter lentement.

Barbie fit la même chose. Qu'aurait-elle pu faire d'autre ?

Quelques minutes plus tard, la porte s'ouvrit et Lee Quigley entra dans la pièce.

— Barbie, puis-je te parler, s'il te plaît ?

Barbie le suivit jusque sur le plateau.

— Tout d'abord, je voudrais te féliciter pour ton excellent travail, dit-il d'une voix douce. Il est rare qu'un acteur débutant — et surtout pour une publicité — ait un jeu aussi naturel.

Barbie rayonnait.

— Mais malheureusement, notre choix se porte sur Rachel, l'autre fille. Ce n'est pas spécialement qu'elle soit meilleure que toi, mais son « croustillant » était exceptionnel.

Barbie sentit le sol se dérober sous ses pieds. Elle crut d'abord avoir mal entendu. Peut-être n'avait-il pas dit que c'était l'autre fille qui avait été engagée. Peut-être... Mais au fond d'elle-même, elle le savait. Elle n'avait pas décroché le rôle. Elle savait qu'il était en train de lui dire des choses merveilleuses sur elle et son travail et qu'elle aurait dû écouter, mais elle s'en sentait incapable. Cela faisait trop mal de savoir qu'elle avait échoué, surtout après tous les efforts consentis par tous ses amis pour l'aider. Qu'allaient-ils penser? Qu'allaient-ils dire en apprenant que Barbie ne serait pas Choco Girl?

Derrière Quigley, Barbie aperçut Selma. Elle avait l'air de sourire.

« Mais pourquoi sourit-elle? s'étonna Barbie. Sa nouvelle cliente, Barbie Roberts, vient d'échouer lamentablement. Il n'y a vraiment pas de quoi rire. »

Lee Quigley était en train de lui dire quelque chose. De quoi s'agissait-il? Pourquoi souriait-il aussi? Qu'était-il en train de dire? Barbie se força à écouter :

– ... Et je pense que tu as le profil idéal pour jouer dans la prochaine campagne publicitaire des jeans Dominique, que je tourne le mois prochain. C'est une campagne beaucoup plus importante, qui te mettra beaucoup plus en évidence qu'une pub de biscuits.

Il s'arrêta un instant.

– J'en ai parlé à Selma et nous allons te proposer un contrat. Tu le recevras dans le courant de la semaine, en même temps que le scénario. D'accord ?

– Vous êtes en train de dire que vous me proposez un rôle ?

– Un bien meilleur rôle, tu verras, dit Selma avec un large sourire. Tu vois, il arrive souvent qu'une défaite soit une victoire déguisée.

– Mon Dieu ! J'ai obtenu un rôle ! s'écria Barbie, folle de joie.

– Donc, tu acceptes ? demanda Lee Quigley.

– Bien sûr que j'accepte !

Selma serra très fort dans ses bras sa nouvelle protégée.

– Allez, ma grande ! Que dirais-tu de rentrer à la maison et d'annoncer à tout le monde la formidable nouvelle ?

Épilogue

Chère Skipper,

Tu ne pourras jamais imaginer ce qui m'est arrivé depuis la dernière fois que je t'ai écrit. À New York, les choses vont à mille à l'heure. Sam et Terri sont les meilleurs parents de remplacement qu'on puisse rêver d'avoir. L'école est formidable. Je n'ai jamais rencontré autant de personnalités différentes au même endroit. Et tu sais quoi? Je n'ai pas une, mais CINQ amies. Elles s'appellent Lara, Tori, Lara, Nichelle et Chelsie. Je peux déjà te dire que nous allons toutes bien nous amuser cette année. Et devine, une autre bonne nouvelle: je vais tourner une publicité! Pour les jeans Dominique. Je me demande s'ils vont me laisser porter les jeans après.

Dis à Stacie d'arrêter de lire ses livres d'horreur avant de se coucher. Et dis à Shelly que je lui ai envoyé un petit cadeau hier. Vous me manquez toutes énormément. Mais je sais déjà que je vais être très heureuse ici.

Je t'embrasse très fort,
Barbie

TOURNE LA PAGE POUR
DÉCOUVRIR LE DERNIER
REPORTAGE DU JOURNAL
GENERATION BEAT

GENERATI*N BeAT

LES BÂTIMENTS DE LA NOUVELLE ÉCOLE SONT OUVERTS !

L'école dont le monde entier parle – la Manhattan International High School – vient d'ouvrir ses portes.

Des milliers d'élèves, en provenance des quatre coins du monde, s'y sont inscrits pour cette nouvelle année scolaire.

La directrice, madame Simmons, n'a pas ménagé ses efforts pour la construction de cette nouvelle école à la place de l'ancienne, trop petite, où s'entassaient professeurs et élèves. Ce ne sera plus très long avant que les petits problèmes de fonctionnement soient résolus, promet la directrice. En attendant, pas de panique ! Prenez le temps de vous faire de nouveaux amis et profitez des avantages de la proximité de l'école avec cette ville si impressionnante et si excitante qu'est New York.

Une étude menée auprès des élèves confirme que l'école, située sur West Street, entre Soho et Tribeca, se trouve dans un des quartiers les plus agréables de New York.

Attention ! Cette année sera exceptionnelle, pleine de surprises et de joies !

Crée ton propre journal !

Travailler à la réalisation d'un journal peut être passionnant. Si ton école ne possède pas son propre journal, essaie d'un créer un. Tous les sujets sont bons : la vie de la classe, les voyages scolaires, les examens, les fêtes...

Si tu crois qu'il est difficile d'écrire des articles de journaux, rappelle-toi que tu passes une grande partie de ton temps d'école à écrire. Une fois que tu auras appris comment sont écrits les articles, tu constateras que ce n'est pas aussi difficile que ça en a l'air.

Barbie et ses amies ont relevé le défi. Tu peux le faire aussi !

Un article de journal doit donner un maximum d'informations, mais d'une façon simple et très lisible. Il faut d'abord pouvoir répondre à ces questions :

1. De qui parle l'article ?
2. De quoi parle l'article ?
3. Quand cela s'est-il passé ?
4. Où cela s'est-il passé ?
5. Pourquoi cela s'est-il passé ?
6. Comment cela s'est-il passé ?

Les «journalistes» de *Generation Beat* ont répondu à ces questions dans les cinq premières lignes de leur article.

1. Qui : Ceux qui vont profiter des nouveaux bâtiments sont les élèves de la M.I.H.S.

2. Quoi : L'article parle de la nouvelle M.I.H.S.

3. Quand : Les nouveaux bâtiments ont ouvert leurs portes au début de l'année scolaire.

4. Où : Les nouveaux bâtiments sont situés sur West Street, entre les quartiers de Soho et de Tribeca, à New York.

5. Pourquoi : La nouvelle construction était indispensable parce que l'école comptait beaucoup de nouveaux élèves inscrits.

6. Comment : La directrice Simmons a décidé et obtenu le financement de la construction de la nouvelle école.

Lorsque tu écris un article, rappelle-toi que ton but est d'informer tes lecteurs.

- Fournis autant que possible des informations importantes.
- Ne tiens pas compte des détails inutiles qui rendent l'article confus.
- Rédige des phrases courtes et simples.
- Essaie de résumer ton article dans le titre.

Teste quelques-unes des idées suivantes pour commencer.

• Trouve un bon titre pour ton journal. (Le journal de Barbie s'appelle *Generation Beat*.)
• Creuse-toi la tête pour trouver un bon sujet d'article. Choisis de préférence quelque chose qui t'intéresse. Il te sera alors plus facile d'en parler.
• Écris un article court. Rappelle-toi de toujours écrire des phrases simples, en n'y incluant que les détails importants.
• Relis ton article pour vérifier que tu réponds à toutes les questions : « Qui, quoi, quand, où, pourquoi, comment ? »
• Fais-toi relire par un ami. N'aie pas peur des critiques. Comprend-on facilement les éléments essentiels de l'article ? Souviens-toi que le but d'un article est d'informer les autres.

Amuse-toi bien et garde toujours à l'esprit la phrase de monsieur Toussaint :

ÉCRIRE = ÊTRE HONNÊTE = DIRE LA VÉRITÉ !

Ne manque pas le deuxième volume de cette collection *Génération Filles* :
Le Mystère des portes closes

Lorsque les parents de Tori l'envoient aux États-Unis pour poursuivre ses études, celle-ci se demande si elle pourra jamais supporter sa tante Tessa, une personne particulièrement acariâtre. La découverte d'un artiste talentueux mais bien mystérieux, des chambres interdites, de drôles de commentaires du perroquet de tante Tessa, tout cela va la conduire à une belle surprise.